「私たちの表現の不自由展」・その後

表現の自由を守り歴史修正主義と闘った市民たちの3年間

風媒社

私たちの表現の不自由展・その後

表現の不自由展その後をつなげる愛知の会

編

目次

展示会図録より　98

Ⅲ 「私たちの『表現の不自由展・その後』」に寄せて 135

はじめに

3年に一度開かれる国際芸術祭「あいちトリエンナーレ2019」が開幕したとたん、憲法を踏みにじる政治家の妨害に遭い、芸術祭の一部、企画展「表現の不自由展・その後」はわずか3日間の展示後、中止になりました。

国内外のアーティスト90組以上による作品展示をはじめ舞台芸術、音楽、映像など日本では最大級の芸術祭。75日間愛知芸術文化センターを主会場に各地の会場で展開され、文化庁や愛知県、名古屋市などの応援を受け芸術祭実行委員会が主催。芸術美術の専門家のみならず地域を巻き込み、催し全体からどんなアピールが発せられるか心はずむ行事です。

報道によって中止と知った市民たち約200人が即日全国各地から会場へかけつけました。打てば響く勢いで再開を願う市民たち一人ひとりの熱い思いが結集。会場前で再開までの毎日、スタンディング、主催者へ再開要求、街頭集会、デモ行進を繰り返しました。周辺一帯には広場が複数あり、数百人の集会を開くことが容易でした。

芸術祭で見られなかったから、私たちの手で実現しようと市民たちが「私たちの「表現の不自由展・その後」」を計画。準備の途上、コロナ禍のため1年延長。そして2021年7月名古屋市の市民ギャラリー栄で開催したものの、爆竹入り郵便物が届き2日間で中止に。直後から中止抗議、再開を求め街頭活動に奔走、ねばり強い市民活動が結実して2022年8月「私たちの「表現の不自由展・その後」」を前年と同じ会場で開き、終えることができました。
河村たかし名古屋市長の「即刻中止を」の圧力を皮切りに、大村愛知県知事へのリコール署名偽造事件、ドイツ「平和の少女像」撤去要請、市負担金不払い裁判と首長にあるまじき言動行為が続き、「やめてチョ河村市長」や「真実は沈まない」が街頭集会やデモの愛唱歌になりました
不自由展を鑑賞した方々のアンケートを全て読み、心底感動しました。妨害、萎縮、不公正の空気を真剣に直視し、「表現の自由」に言及、美術鑑賞の確かさが満ち溢れていました。しかも大半の方々の深いお考え、ご指摘に接して学ぶところ大でした。
多事多難の4年間、初めてお会いする市民のみなさんとともに活動しました。すぐれた市民活動家みなさんの存在がエネルギーの源でした。骨身惜しまず前へ前へと進み、終了ではなくいつもスタート。その情熱が本書出版となりました。4年間何があったのか、大勢の方々の報告、感想です。本書が公権力の圧力を決して許さない、「表現の自由」を守る参考になれば幸いです。

共同代表　久野綾子

I

「表現の不自由展・その後」中止事件から再開まで

芸総センター前で抗議行動（2019 年 8 月 4 日）

再開を求めてスタンディング（2019 年）

2019あいちトリエンナーレ『表現の不自由展・その後』中止から再開まで

李斗熙《イドゥヒ》

「見たかったのに!!　暴力で『表現の自由』を抹殺するな!!」

名古屋の真夏の酷暑が猛威を振るう2019年8月4日の午後、各々手にプラカードを持った人たちが、名古屋栄にある愛知芸術文化センターの芝生前に集まりました。プラカードには、「愛知県はテロ予告に屈せず、あいちトリエンナーレを守れ」、「表現の自由が殺された」、「表現の自由の検閲、まるで戦前」、「脅迫犯は必ず検挙、暴力に成功体験を与えるべからず」、「表現の不自由展・その後の中止に反対」などが書かれ、前日の3日に発表された「あいちトリエンナーレ2019」の企画展「表現の不自由展・その後」中止の撤回を求める声を上げげました。

集まった人々は「見たかったのに!!　暴力で『表現の自由』を抹殺するな!!」の横断幕を掲げ、「日本の表現の自由は死んだ」という問題提起なのでしょうか、喪服姿で参加し、この事件がどれほど表現の自由を脅かすものであるかを訴える市民らもいました。

この抗議行動は「表現の不自由展・その後」の再開を求める抗議活動ではありましたが、「平和の少女像」に対する市民の皆さんの気持ちが強かったのではと思います。少なくない参加者たちが「平和の少女像」のミニチュアを持参し、列の一番前に並べたり、「平和の少女像」の写真を印刷したものを手にしたりしていました。実際、多くの人が中止事件の前に、名古屋で「平和の少女像に会える」とずいぶん盛り上がり、楽しみにしていたと思います。それだけに河村たかし名古屋市長の「日本国民の心を踏みにじる」として、「即刻中止」を求める問題発言に影響を受けた中止事件は、市民の期待と楽しみの気持ちを裏切るものとして、行動を促したのです。

当初は、「表現の不自由展・その後」中止による日本社会の表現の自由抹殺への憤りと「平和の少女像」へのシンパシーが強かったのではないかと思います。また、「平和の少女像」以外の作品についての情報はありませんでした。

抗議行動の場所では「世界コスプレサミット２０１９」が行われており、多くの若者たちが集まり、にぎやかな雰囲気でした。抗議行動に参加した私たちは、このイベントに参加している人たちに「皆さんが、自由にコスプレができることも表現の自由があるからです。だから今回の展示会中止は皆さんと無関係ではありません」と訴え、抗議行動への参加を呼びかけました。

抗議行動に参加した多くは、中止の話を聞いて駆けつけた名古屋周辺の人でしたが、展示会を見るために日曜日を利用して東京、大阪など遠くから来た人たちも一緒に参加し、声を上げました。この方たちは「展覧会を見るためにわざわざ遠くから来たのに、展示が中止されるなんて衝撃！　この中止は『表現の自由』だけではなく、見る権利も否定されたことになる」と訴えました。

抗議行動の後、参加者は会場近くのレストランに集まりました。そして、これからの行動についてどのように取り組んでいくかについて話し合い、とりあえず即刻再開を求めて行こうと決め、そのための「『表現の不自由展・その後』の再開をもとめる愛知県民の会」を結成することになりました。

ただ、この時点では会場の様子や状況などについては、メディアの報道を通じてしか具体的な情報を得るすべもなく、漠然としたスタートになりました。ちょうど、これからの活動の計画、会の結成の話がされているときに、出品作家の一人が発信した情報から「表現の不自由展・その後」の会場内に作品が残っていることがわかりました。その時までは中止と同時に作品も撤去されたと思い込んでいた私たちは、会場の中に作品が残っていることで、いつでも再開が可能であることを確認し、「絶対に再開させよう」と決意しました。

つまり、わたしたちの運動は、この段階で「会」は結成したものの組織的なものはなく、それぞれが個別のやり取りだけの情報で、全体の把握ができない状況からのスタートでした。振り返るとレストランでの集まりがなければ今日までの運動はできなかったかもしれません。

何かをしなければ…

「表現の不自由展・その後」の中止への抗議行動は、前日（3日）にあった「韓国併合100年東海行動」の韓国ツアー報告会で提案されました。ちょうど、その報告会で日韓の過去の歴史への正しい認識と清算についての問題意識を共有していた人たちは「表現の不自由展・その後」中止の話を聞き、その場ですぐ行動に出ることで一致しました。その中で、「平和の少女像」の作家（キム・ソギョン、キム・ウンソン）から「もし中止の場合、名古屋のどこかに少女像を展示できる場所はないのか」という連絡があり、その報告会の中で「東海行動」のメンバーは、短期間でも「平和の少女像」を展示できる場所を探すために、いろいろなところに連絡を回し打診していました。緊迫した状況の中で居ても立ってもいられないまま、慌ただしい対応に追われていました。しかし、結局、この日本でそう簡単に「平和の少女像」が展示できる場所があるはずがないという現実を確認して終わりました。これはひとつのエピソードに過ぎないことかもしれませんが、当時、日韓の過去の歴史への正しい認識の重要性を共有している人たちがこの問題についてどれほど自分のものとして考え、その解決のために奔走したのかを物語っています。そして、とりあえず、会場前での抗議行動をすることを決めました。

あまりにも突然の出来事で、何の組織も、行動の方向性の判断材料になりうる確かな情報もなく、怒りと悲しみを力に、「とりあえず何かをしなくちゃ」という切実な思いでの出発でした。

抗議行動後の「会」結成で、「あいちトリエンナーレ」実行委員会への抗議と再開を求める要請、河村たかし名古屋市長への謝罪を求める抗議と記者会見、会場前でのスタンディングを決めました。

64日間のスタンディングの始まり

再開されるまでは声を上げ続けるべく、会場前でのスタンディング活動を行いました。中止3日目になる8月6日に、愛知芸術文化センターの2階の前で始まり、この日には15名の市民が参加しました。スタンディング活動はこの日から最後の10月14日まで台風で休館になった日を除き1日も休むことなく64日間続きました。少ない日は4、5人、多い日は20人前後の参加者が一緒に声を上げ、市民たちに「表現の自由」を一緒に取り戻すように呼びかけました。このスタンディングは再開を求める私たちの拠点でもありました。毎日同じ場所に集まり、それぞれの状況を共有し、意見交換をすることによってこの運動が持続可能になりました。また、この場があるからこそ誰でも時間があれば気軽に立ち寄り、一緒に声を上げることができたのでした。スタンディングの場所は最初の2、3日間は「あいちトリエンナーレ」の会場の愛知芸術文化センターの2階前の芝生スペースでしたが、暑い名古屋の真夏の炎天下ということと、人通りが少ないことから、場所を地下鉄栄駅の4番出口の前に移動し、最終日まで続けました。

再開を求め、愛知県知事、河村名古屋市長へ

この日から関係者や市民、全国各地から展示の中止反対及び即刻再開を求める声があがり始めました。

6日には、「あいちトリエンナーレ2019」出品作家72組が「表現の不自由展・その後」の展示の継続を求めるステートメントを発表、「『表現の不自由展・その後』実行委員会」は大村県知事に公開質問状を提出しました。

私たちは、7日「あいちトリエンナーレ2019実行委員会」会長大村知事、芸術監督の津田大介氏に再開を求める要請文を手渡し、記者会見を行いました。要請文は「民主主義社会の根幹である表現の自由が保障されるべき芸術作品が…政治家たちのたび重なる憲法規範を逸脱した恫喝によって中止とされてしまった」、「卑劣で野蛮な脅迫と恫喝によって憲法と民主主義が破壊されることを絶対に許さない」として、「表現の不自由展・その後」の再開を求めました。

また、河村たかし名古屋市長が2日の会場視察で「どう考えても日本人の、国民の心を踏みにじるもの」と発言し、「平和の少女像」の作品展示を即刻中止するよう求めた行為が、今回の中止事件の大きい引き金となったことに対しては、「憲法が禁ずる検閲であり断じて認められない」とし、謝罪を求める要請書を作成しました。要請書では、「1．旧日本軍慰安婦被害者」、「2．『不自由展・その後』実行委員会と作品出展者」、3．「名古屋市民ならびにすべての日本に住む人々および世界中の人々」に対し謝罪することを求めました。要請書の提出とその後行われた記者会見には多くのメディアが訪れ、この問題の社会的な影響についても注目をしてくれましたが、残念ながら、その取材の熱気を考えると、報道の量は少なく、日本のメディアの現実を知らされました。

この二つの要請書は、「表現の不自由展・その後」中止に対する反対・抗議の文書の中で、専門家や展示会の関係者ではない市民による最初の文書ではないかと思います。最初の市民による行動としての意味だけではなく、「中止」事件が起きた名古屋を中心とする市民たちが、この問題を〝自分事〟として受け止め、行動を起こしたことは特筆すべきではないかと思います。

また、この日の記者会見を皮切りに、「再開を求める愛知県民の会」は少しずつ組織としての形がつくられ、再開を実現させるための具体的かつ市民たちの幅広い参加を呼びかける行動にも乗り出しました。先のことを見据えてのスタートではなく、とりあえず「中止」に対応して、何としても再開を実現させるための市民たちの取り組みが少しずつ形づくられていきました。

長期戦とはいえ、展示会の期間が限られており、口にはできないものの、心の中では大きな焦りも抱いていました。その中で、私たちの再開の拠点になっているスタンディングにも少し変化が生じてきました。スタンディングを続けるためのいくつかのルールを決めたのです。時間を毎日10時～11時までの1時間実施すること、展示会の休館日にあたる月曜日にはスタンディングもお休みにすること。これらの説明と参加への呼びかけを書いたチラシを作成し、市民への呼びかけをしました。最初のころはメディアからの取材も多く、私たちもそれに勇気づけられて、頑張って声を上げました。

簡単そうに見えるかもしれませんが、それを長期間続けることは生易しいことではありませんでした。スタンディングにはプラカードや横断幕、ハンドマイクなどが必要ですが、それを保管する場所がなく、その日その日、自主的に持ち帰ったり、翌日に参加できない場合はバトンタッチをして、次の行動につなげるようにする必要がありました。毎日引継ぎをするためには根気が必要で、それがまた連帯を強くしたのです。アピールするものもそれぞれが独自に作り、スタンディングが「表現の自由」の場になっていました。大阪や北海道や

ンディングまで大きいトラブルもなく続けることができたと思います。

100人を超えるメモリアルデー、被害者の悲しみを胸に刻み

1991年に旧日本軍慰安婦被害者として金学順《キムハクスン》さんが名乗り出た8月14日を記念するメモリアルデーに合わせて、会場の前で再開を求める集会を開きました。この日は集会の途中、何度もにわか雨が激しく降るなど悪天候でしたが、100名以上の参加者は最後まで集会を守り、戦争の被害者のことを思い起こしながら、再開を求める声を上げました。参加者たちは再開を求める替え歌を歌ったり、展示会の中止の原因を提供した河村市長に対する発言の撤回と謝罪を求める発言などをしました。集会場の一角には空いた椅子を置き、朝鮮のチマチョゴリを着て慰安婦被害者に扮するスペースを設け、その象徴でもある「平和の少女像」に一日でも早く会いたいという私たちの思いを表現しました。被害者に扮した参加者の方は、本人と被害者たちがほぼ同じ世代であることに言及し、「幼い少女たちにしたことは人間のすることではない。その苦しみに思いを馳せ、私たちみんなに責任がある」と発言しました。その痛みを共感するために展示された作品がなぜ公開できないのかと、怒りを表しました。この集会には日本だけではなく韓国のメディアからの取材もあり、私たちの活動が国内外から注目されていることを実感しました。

8月9日に「あいちトリエンナーレのあり方検証委員会（以下検証委員会）」第1回会合が開催されましたが、その設置期間が11月までで、すでにあいちトリエンナーレの開催期間を過ぎる時点でした。一日でも早く再開を求める私たち市民としては、主催者側が本当に再開をする気があるのかと疑問を抱かざるをえず、もっと積極的な活動が必要だと感じました。また、20日には「あいちトリエンナーレ」出品作家のモニカ・メイヤーら

海外作家が展示室の閉鎖や展示内容の変更など、「不自由展」中止に抗議の意を表しました。

　このような状況の中で私たちは、会場近くにある栄公園で8月24日に『表現の不自由展・その後』の再開をもとめる8・24集会&デモin名古屋」を開きました。この集会には、私たち市民だけでなく、不自由展の出展アーティストのキム・ソギョンさんとキム・ウンソンさん、朝倉優子さん、安世鴻《アンセホン》さん、9条俳句応援団のみなさんも発言しました。作家以外にも東京や埼玉などから市民も参加し、この事件がただ単に名古屋だけの問題ではなく、昨今の日本社会の歴史認識、表現の自由の危機の問題であることを共有しました。美術大の学生を中心に署名を集めている学生からは「私たちから考える力を奪わないで」と言い、「表現の不自由展の中止は旧日本軍性奴隷被害者に対するセカンドレイプだ」と訴え、参加者から大きい拍手が起きました。「平和の少女像」の作家も登壇し「皆さんが声を上げ続け、私たちの手をつないでくだされぱきっと平和は実現されると思います」と市民の取り組みに感謝を表しました。私たちは「勝利を我等に（ウィー・シャル・オーヴァーカム）」、「真実は沈まない」などを歌い、最後の勝利まであきらめずに闘っていくことを決意しました。200名以上が参加した集会後には栄周辺でデモ行進を行い、「不自由展」中止の不当性、即刻再開を求め、運動への市民の参加を呼びかけました。

再開を求めて愛知県庁を訪問（2019年9月10日）

　私たちは、再開の実現のためには名古屋だけではなく、もっと幅広く再開を求める声を広げる必要があると考え、国内外の各団体・

個人へ即刻再開を求める共同要請書への参加を提案し、海外を含む182の団体が賛同してくれました。9月10日、愛知県庁で大村知事あてに、「『表現の不自由展・その後』に対する脅迫と圧力は、表現の自由と民主主義に対する脅迫と圧力」であり、「私たちは歴史的事実、表現の自由、そして民主主義を私たちの手から手離さない」と、共同要請書と公開質問状を提出し、「表現の不自由展・その後」の即刻再開を要請しました。

市民一人一人の声を届ける

9月13日、「表現の不自由展・その後」実行委員会が展示再開を求めて名古屋地方裁判所に仮処分を申し立てました。それについて実行委員会は9月15日に「壁を橋に」名古屋集会を開催し、私たちはその集会に賛同・参加しました。これまでは、当事者である実行委員会となかなか情報の共有や意思疎通が十分ではありませんでしたが、この時期を前後に、協力できるようになってきたと思います。

この期間中に、私たちは集会やデモ以外にも一般市民がそれぞれ気軽にいろいろな方法で再開を求める運動に参加できる提案や取り組みを続けました。その一つは、大村知事と津田芸術監督には再開を求め応援するハガキを、河村たかし名古屋市長には抗議ハガキを、数千枚印刷し市民に配る運動でした。また、検証委員会のアンケートが再開反対派などに政治的に利用される危険性が高いため、市民の「表現の自由」や「表現の自律性」を求める声を届けるように、アンケートへの参加を呼びかけました。また、この間起きている問題点などをまとめたQ&A集「あいちトリエンナーレ2019で何が起きているの？」を制作し配布しました。

このような日常的な行動をしながら、また集会などを通して街頭でも市民に再開への賛同を呼びかけました。会期後半を迎える9月22日は「今すぐ見たぁい！『表現の不自由展・その後』の再開をもとめる全国集会inなごや」を開催し、約250名が参加しました。この日は、集会とデモ行進だけではなく、デモコースの矢場町から大須周辺でマネキンフラッシュモブ、「小さい『平和の少女像』」の展示、路上ライブ、再開についてのシールアンケートなどを実施し、市民の参加を呼びかけました。

9月25日、検証委員会の中間報告をうけて、緊急に栄三越前でスタンディングを行い30人近くが参加しました。検証委員会は条件付きの再開を検討しているとの情報が入り、「中止前の状態のままでの再開を」と声を上げました。

再開をめぐる様々な出来事が相次いでいる中でもスタンディングは続きました。9月29日には、萩生田文部科学大臣の文化庁の補助金不交付の発言を受けてのスタンディングに50人近くが参加し、萩生田文科相に発言の謝罪と撤回を求めました。この萩生田文科相発言は非常に深刻な検閲、職権乱用であると認識し、それに抗議する集会を10月5日に開催しました。この集会はあまり時間のない中での準備でしたが、この局面でとても重要な問題提起を共有することができた集会でした。集会後の夕方には栄三越前に移動し30人が集まり、萩生田発言の撤回と謝罪を求めました。

再開求めてのデモ行進（2019年9月22日）

9月25日には大村知事が再開に言及、再開に向けての緊迫した状況になりました。大村知事からは条件付きの話もあり、私たちは中止される前の状態のままの無制限の再開を要求しました。再開がささやかれている中でもはっきりしたことが見えない中で閉幕日は近づき、私たちにも焦りがありました。それで私たちは10月7日、「市民はもう待てない！　今すぐ公開の場で協議を！」と、トリエンナーレ実行委員会への申し入れと共に、自民党など県議団各会派へも申し入れを行いました。再開は見えてきたものの、最後の最後まで気を緩められない日々が続く中での行動でした。

見えてきた再開、しかし…

ついに10月1日に、「表現の『不自由展・その後』実行委員会」が再開を求めた仮処分の和解が成立したという発表がありました。そして、10月8日、2カ月以上壁に閉じ込められていた「平和の少女像」をはじめとする作品が観客と再会する日がやってきました。誰よりもこの日を待ち、そのために闘ってきた私たちに喜びはありましたが、決してもろ手を挙げての喜びではありませんでした。再開1日目の8日に2回の抽選で入れたのは60名のみ、並んだのは1300名以上でした。これが私たちが求めていた再開の姿であるはずはなかったのです。私たちは再開のその夜また路上に立ちました。歴史改ざん主義への闘いの決意を新たにし、会期末まで全力を尽くすという声明を発表し、9日には「あいちトリエンナーレ2019実行委員会」に対して、抽選方式による人数制限に抗議し、話し合いの場を設ける申し入れ書を提出しました。

再開の8日午後には河村市長が「再開決定は無効」と主張し、会場前の広場で座り込みを行いました。展示会の中止事件後ずっと河村市長に謝罪を求めてきた私たちとしては断じて許すことのできない行動です。しかも、河村市長と一緒に座り込みをしたのは右翼団体の人たちでした。これを座視するわけにはいかず、私たちは9日にスタンディングの後、「歴史改ざん主義を居直り、いまだに『表現の不自由展・その後』を妨害する市長を許さない」と、謝罪要求書を提出しました。

閉幕の前日の13日のスタンディングには「平和の少女像」の作家キム・ソギョンさんが参加し、「あいちトリエンナーレはあと2日しかありません。ぜひ制限なく展示をしてほしい。『あいちトリエンナーレ2019実行委員会』は、『表現の不自由展・その後実行委員会』と作家、市民のみなさんに謝罪を！」と訴え、最後まで市民たちとの連帯の気持ちを示してくれました。

このままじゃ終わらせられない

そして迎えた2019年10月14日。あいちトリエンナーレ閉幕の日、再開を求めて立ち上がった私たちの闘い、その中心にあったスタンディングも最後の日を迎えました。小雨が降る中でしたが、いろんな形で2か月の闘いを一緒にしてきた仲間たちが集まり、お互いに励ましあう場でもなりました。最善を尽くした活動にも関わらず、再開はできたものの、自分たちの要求とはあまりにもかけ離れた現実にやるせない気持ちで涙ぐむ人もいました。この闘いの集会、スタンディングなどの現場で一緒に歌った「勝利を我らに（ウィー・シャル・オーヴァーカム）」をもう一度一緒に歌って振り返り、新しい闘いへの決意を固めあいました。

再開を求める私たちの活動はこの日を持って一段落しましたが、私たちの前には変わりなく、歴史の否定、表現の自由への侵害という課題がありました。11月には総括集会を持ち、この間の闘いの成果と課題を確認し、表現の自由と正しい歴史認識を手に入れるため、これからも闘っていくことを決意しました。それに伴い会の名称を「『表現の不自由展、その後』をつなげる愛知の会」とし、活動を続けることにしました。あいちトリエンナーレは終わりましたが、私たちの胸の中には、この時にすでに自分たちによる「私たち」の不自由展を見据えていたのかもしれません。

「表現の不自由展・その後」中止撤回を求めるスタンディングに参加して

金城美幸

私が慰安婦被害にあわれた女性に初めて会ったのは2000年代前半、大学で開催された証言集会に参加した時だった。公式謝罪や補償、二度と繰り返さないための記憶形成を求め裁判で闘う女性が、何度も涙を呑む姿を目にした。ちょうど自民党政権・右翼論客の歴史否定キャンペーンによって、自社会の過去の暴力と向き合う真摯な議論が封殺されていく時期だった。

あいちトリエンナーレ2019の「表現の不自由展・その後」は言論封殺に重要な一石を投じるものだった。私も中止の抗議に、微力ながら参加させていただいた。粘り強い活動のおかげで、昨年2022年の「私たちの『表現の不自由展・その後』」で、名古屋で「平和の少女像」にも出会えた。「少女」のまなざしを正面から受け止めたり、隣に座って同じ光景を見られたことで、軍備増強が始まる日本で、戦争責任・植民地主義の責任を語り続ける重要性を改めて感じる機会になった。

わたしにとっての「表現の不自由展・その後」のその後

崔蓮華《チェリョナ》

（編集部より）
崔蓮華さんより了解を得て、２０１９年８月24日に開催された『表現の不自由展その後』の再開を求める８・24集会＆デモ」の際の崔蓮華さんの発言と、「私たちの『表現の不自由展・その後』」を終えての感想を掲載します。

８・24集会＆デモ　集会での発言

今日はただ来ただけなんですけど、見てたらどうしても言いたくなって、自分のＳＮＳに友達に向けて発信した文章なんですけど、ここで読ませてもらいます。

私たちの間にある分断をいつか乗り越える日を夢見て、日々読書や勉強に嫌々ながらも取り組み、講演や活動に足を運ぶ、在日コリアンとして胸を張って批判や反感を恐れずに自分の意思を表明します。

平和の少女像には人類普遍の価値である平和への願いが込められています。なんでこの像が日本人の心を踏みにじるのでしょうか？　ドイツには街中にユダヤ人虐殺を忘れないための作品があるらしい。これはドイツ人の心を踏みにじっていますか？　原爆ドームはアメリカ人の心を踏みにじっていますか？　加害の歴史を学ぶことは自虐的ですか？

もう二度と繰り返さないために、私たちは知り学ぶのではないですか？　謝罪済みだ、お金で解決された。では、どれだけの人がこの問題について知っていますか？　説明できますか？　忘却を恐れ、未来への責任は果たせますか？

日本政府がお詫びと反省を表明した後も、政治家がこの問題の事実関係や強制性について否定する発言を繰り返し、女性たちを屈辱したことを知っていますか？

朝鮮や台湾、中国・東南アジア日本の女性たちが家族に会えず、友達に会えず、知らない場所で知らない人たちの相手を1日中繰り返され、殴られ殺され心と体に深く重い傷を負ったことは国籍に関わらず悲しみ悔やむことではないですか？

平和の少女は反日の象徴ではありません。忘れないため、私たちが二度とこのような悲しい歴史を繰り返さないためにそこに座っているのではないですか？

平和の少女像の手を握り、その気持ちを想像し、心を痛め、二度と同じことを繰り返さないよう、自分にできることを考えればいいだけです。ネットや新聞・テレビから流れる憎悪にあふれた情報やデマに優しくて温かい大好きな人たちの心が暗く沈まないように。

ありがとうございました。

わたしにとっての「表現の不自由展・その後」のその後（2024年2月20日記）

「日本語お上手ですね～」と言われたら、「むしろ日本語しか話せないんですよ～」と返してひと笑いを取る。いやいや、こっちは日本語だけで精一杯ですけど？なんも面白くないのにヘラヘラちょけて、ハッピー愉快な奴を演じる。

「日本生まれ日本育ち！　そんなん日本人じゃん！　大丈夫！」と言われたら「日本製コリアンで〜す、ありがとうございます〜」と、親しみやすさアピールも忘れずに。大丈夫って励まされたし、一応お礼も言っとくか。

何度も名前を聞き返されても「すいません、ややこしい名前で」と謙虚に対応。あれ、わたし何で謝ってんだろう。

「日韓戦ってどっち応援すんの？」と訊かれれば、「そのとき負けてる方を応援するよ〜」と困った顔で対応。あれ？　わたしジャッジされてる？

「在日コリアンだからこそ日韓両方からの視点で物事を理解できて素晴らしいウンタラカンタラ…」とお褒め頂けば、おしとやか目にお辞儀でもしとこか。

私の脳をどう切り取っても、どこにも日本視点なんてないのに。これまでもこれからも、わたしには歴史と人権を探究する者の視点があるのみ。

そもそも韓国人でもないし。私は朝鮮人です。

表現の不自由展のあと、私のインスタに「ブスは国に帰れよ」というコメントがついた。謝罪がなければ法的手続きをとると夫からＤＭが飛べば、必死に謝罪のメッセージ送ってきた哀れな保育士。四児の母だというから驚いた。美人なら日本にいてもいいってことですか⁉　なんて笑い飛ばす振りはしたけど、わたしの心には大きな穴が空いてしまったようだった。

徐々に、「社会を変えよう！」とか、「差別をなくそう！」とか、そういうものから距離を置くようになってしまった。もう疲れたのだと思う。頑張らなきゃ、わたしが声をあげなきゃと思う度に、「もういいや、どうでもいい」という内なる声が聞こえてきて、代わりにＴｉｋＴｏｋやＹｏｕＴｕｂｅで犬や猫の動画を必死に漁る日々を送る。

ニュースやネットで平和の少女像がとりあげられなくなって、多くの日本人があのことを忘れた。平和の少女は誤解され続けたまま、人々の記憶から消えていくし、私たち在日朝鮮人も、同じように、誤解され、消費され、忘れられていくのだと思う。

「あいちトリエンナーレ2019」文化庁補助金不支給問題

山本みはぎ

はじめに

2019年8月2日、河村名古屋市長が、あいちトリエンナーレ2019の企画展「表現の不自由展・その後」を視察し、「平和の少女像」が展示されていたことについて、「日本国民の心を踏みにじる」などと発言し展示の中止を求めたことを受けて、菅官房長官（当時）は閣議の後の記者会見で、文化庁の助成事業であることから、「審査の時点で具体的な展示内容の記載がなかったことから、補助金交付の決定にあたっては事実関係を確認、精査して適切に対応したい」と補助金交付を検討する旨発言しました。

「表現の不自由展・その後」展は、河村市長らの言動や、ネット上での脅迫や妨害などで3日目に中止に追い込まれましたが、中止事件以後に設置された、「あいちトリエンナーレのあり方検証委員会」（事務局：愛知県県民文化局）が、9月25日に中間報告を発表し、展示再開の動きが伝えられた翌日の26日、萩生田文部科学大臣（当時）は、「申請手続きに不適切な行為があった」と手続き上の問題を理由に国の補助金約7800万円全額を不交付にすると発表しました。

そもそも、文化庁の補助金制度は税金を投入すべき公共性が高いものと評価・認定された芸術に対して行うものです。その評価・認定は政府が芸術を政治的に利用した歴史的な経緯を踏まえ、政府が行うものではなく、ヨーロッパでは「アーツカウンシル」（芸術文化に対する助成を基軸に、政府と一定の距離を保ちながら、文化政策の執行を担う専門機関：文化庁HPから）と呼ばれる外部の専門家の審査に委ねられています。あいちトリエンナーレ２０１９も、そのような考え方に基づき、外部審査員６人の審査を経て、２０１９年４月に「あいちトリエンナーレ２０１９」を含む26件の採択が決まり、その上で、愛知県は５月に補助金交付申請を行い、文化庁は受理していました。

不透明な不交付決定　芸術文化活動に対する事実上の「検閲」

ところが、この補助金不支給の決定は、採択時の審査に関わった６名の外部審査員には意見聴取もせず、文化庁と文部科学省の独断で決定していたことが明らかになりました。外部審査員の一人で、鳥取大学の野田邦弘教授（文化政策）は、「審査をした結果が否定されるなら専門委員など必要ない」「『事務的な審査』で、採択を決定したものを全額不交付とすることはあり得ない。文化庁から不交付の理由の説明を受けたが、納得はしていない」と辞任を申し出ました。文化庁が補助金を採択したもので、不交付にしたものはこれまで例はなく、決済については、文化庁長官ではなく文化庁審議官が専決で決定したという不透明な決定で行われました。

これに対して大村知事は、「手続きに従ってやり採択までされている。抽象的な理由で不交付が決定されるのは承服できない」として、「憲法21条の『表現の自由』を争点に法的措置も考えている」と記者会見をしました。

文化庁の補助金不交付の決定は、まったく理不尽なものです。そもそも、あいちトリエンナーレ２０１９の企画展「表現の不自由展・その後」が中止に追い込まれたのは、河村名古屋市長や電凸による脅迫や妨害によってであり、被害を被ったのは「表現の不自由展・その後」実行委員会や出展作家です。また、その他の展示は会期中も開催されており、補助金７８００万円を全額不支給にするのは理不尽な話です。

さらに、妨害に屈して展示中止を決定したことに上乗せをして、妨害者に対し脅せば補助金も不支給が通るという間違ったメッセージを伝えることになります。文化庁が妨害に屈服したと言っても過言ではありません。また、萩生田文科相は手続き的な瑕疵といいますが、ならば少なくとも補助金支給を決定した外部審査員にはかるべきであり、それさえしなかったのは手続き的な問題ではないことを示しています。理由は、「平和の少女像」など、政府の方針に合わない作品の展示に対し、補助金不支給ということで制裁を加えたことになります。これが通用するなら、政府の補助金に頼る文化事業の担い手は、事業開催のために政府の方針に逆らわないような表現をあらかじめ自己規制する動きが出る危険性があります。芸術、文化活動への委縮効果を生み出し、事実上の検閲であり、憲法の保障する「表現の自由」を制限することになります。

作家・学者文化人からも厳しい批判が出る

文化庁の補助金不交付に対して、出展作家の田中功起さんは「新しい検閲のあり方だ」。同じく白川昌生さんは「文化統制だ」と厳しく批判し、横大道聡慶応大教授は「実質的には表現の内容に踏み込んだ決定。補助金が出ないかもしれないと圧力が働き、表現内容に踏み込むことが通れば萎縮効果は計り知れない」と語りました。栗田秀法名古屋大教授は、「税金が投入されているとの理由で公権力の側が問題視するのは図書館の蔵書への検閲行為に等しい。今後美術館の活動が著しく阻害されないか危惧する。また税金が投入されている大学にも自由な議論をしにくい風潮が波及しないか心配だ」と語るなど、作家・学者・文化人から厳しい批判が相次ぎました。また、出展作家らが、「補助金不交付撤回を要求」署名10万筆を集め、文化庁に提出しました。

県民の会による抗議集会など

「表現の不自由展・その後」を再開させる愛知県民の会は、10月5日、「撤回させよう！　萩生田文相による補助金不交付決定　愛知集会」を開催しました。

集会では、「表現の不自由展・その後」の中止に関していち早くChangeオルグで「再開を求める署名」を始めた美術家の井口大介さんがメインスピーカーとして発言しました。井口さんは、中止に至る経緯の中で、「すでに開始前から杉田水脈など右翼系の議員がツイッター（現X）などにより展示作品に問題があると発信し、実行委員会への電凸をやる一方、文化庁に対しても圧力や妨害をかけていた。電凸は文化に対するテロで萩生田のやったのは文化に対するファッショだ」と発言しました。そしてこの背景には、「ドイツなどと違って、1955年以降、日本の芸術は社会や政治に関与しないということが主流になってしまった。『表現の不自由展・その後』の再開を求める活動を美術をやっている人たちが言わないし、文化庁の補助金カットの問題も芸大や多摩美の美術部は何も言わない。戦前、美術家は戦争画をたくさん書いて戦争に協力したが、すべては公開されていない。フィリピンには被害の戦争画があるが、加害と被害の作品を比較して考える必要がある。日本の美術は国家権力に対する批判が排除されている。文化庁の負担金の問題はそういう問題が明らかになったということだと思う」と発言しました。

集会では、荒木國臣さん（日本美術会）、「表現の不自由展・その後」の出展作家の大橋藍さん、東京の不自由展実行委員会の三木譲さん、「表現の不自由展・その後」実行委員会の仮処分の代理人の伊藤勤也弁護士もそれぞれの立場から、文化庁の補助金不支給を批判しました。集会終了後は、補助金不支給の撤回を求める街宣を行いました。

補助金不支給の顚末　大村知事の手打ち

２０２０年3月23日、文化庁は不支給とした補助金を一転して、１１００万円減額した残りの約６７００万円を交付すると発表しました。

大村知事は、前年10月に文化庁に対して不服申し立てを行い、文化庁は、不服申し立ての理由を照会していました。その経過の中で、２０２０年3月19日付けで、愛知県から文化庁に「補助金の申請を行った令和元年5月30日よりも前の段階から、来場者を含め展示会場の安全や事業の円滑な運営を脅かすような事態への懸念が想定されたにもかかわらず、これを申告しなかったことは遺憾であり、今後は、これまで以上に連絡を密にする。警備などにかかった費用を減額する」という内容の意見書が出され、減額支給が公表されました。

当初、裁判も辞さないといっていた大村知事は一転して態度を変え「申告しなかったことは遺憾」と詫びを入れ、「今後はこれまで以上に連絡を密にする」と、事前検閲にもつながるような内容での手打ちをしました。

そもそも、不支給の決定のプロセスが全くデタラメであったわけで、裁判になれば、そのプロセスも明らかにしなければならず、この問題に関与した萩生田の関与が明らかになることを回避したかったのではないかと思われます。大村知事の態度の豹変は、国家権力が芸術文化に関与する実績を作ってしまったことになります。

私たちは、このような解決の仕方には到底納得できるものではなく、「国の補助金減額交付に対し、全額交付を求める要求書」を萩生田文科相に提出しました。

河村市長の名古屋市の負担金不払いについて

名古屋市は、独自に「あいちトリエンナーレ名古屋市あり方・負担金検証委員会」を立ち上げ、3月27日検証委員会は「あいちトリエンナーレ名古屋市あり方・負担金検証委員会報告書」を提出し、実行委員会会長（大村知事）による独断的な運営が行われ、運営会議が開かれず会長代行（河村市長）に知らされていなかったとの理由により、不交付にするべきであると結論しました。（ただし、6人の委員のうち2人は個別意見で支払うべきとした）

　これに対して、大村知事（実行委員長）は「負担金は、法令又は契約等に基づき義務的に給付されるものであり、名古屋市の負担金は、実行委員会の構成員として市も参加した運営会議で、実行委員会の収入として議決されたもの」として負担金の支払いを求めましたが、名古屋市が応じなかったため、5月21日、名古屋市をあいちトリエンナーレ実行委員会が名古屋地裁に提訴しました。

「表現の自由」「思想良心の自由」を守ることは自治体の役割
河村たかし名古屋市長は
トリエンナーレ負担金裁判の費用に税金を使うな!
河村たかし名古屋市長による芸術作品の政治利用を許さない市民の会
住民監査請求の記者会見（2022年）

　私たちも、4月20日、河村名古屋市長に、河村名古屋市長の明白な歴史改ざん主義の言動と、表現の自由への妨害行為によって展覧会に混乱をもたらしたもので、そのことを正しく評価していない検証委員会の報告書の結論はあまりにも不公平なもので認められない。全額交付と、歴史改ざん主義にもとづく「平和の少女像」への攻撃と展覧会への検閲、そして再開妨害についてあらためて謝罪をするよう要望書を提出しました。

　2022年5月21日、名古屋地裁は「芸術活動を違法と軽々しく断言できない」として全額支払いを命じ、2022年12月には名古屋高裁でも「不払いは違法。市長の裁量権を逸脱している」として全額支払いを命じました。

河村名古屋市長は、この判決に対し、「（裁判官が）税金の使い方について、こういうクレームを入れることは権限逸脱だ」と、司法の判断を尊重せず、上告すると明言しました。私たちは、河村名古屋市長に「上告をするな」という要望書を提出しましたが、名古屋市は12月12日、上告し、最高裁で争われています。（名古屋市の負担金については、住民監査請求の項を参照のこと）

おわりに

文化庁の補助金や河村市長の負担金の問題が明らかにしたのは、この国は公権力が文化・芸術に深く関与するという間違った現実があり、その背景には、歴史認識や天皇制の問題など、国家が推し進める方向と相いれないものは、排除・妨害するという強力な力が働いていることです。それに対して、不十分ながら抵抗が起きたことは、問題の背景にある、歴史改ざん主義者の跋扈や「表現の自由」に対する圧力に対しては沈黙をしてはいけないということを示したと思います。

「表現の不自由展・その後」を理由とした大村知事リコール活動への反対運動

高橋良平

はじめに

「表現の不自由展・その後」があいちトリエンナーレ２０１９で再開された際、あまりにも短い再開期間であったため見ることができない市民が多くいました。私たちはあいちトリエンナーレ２０１９が終了した時から、市民の手で「表現の不自由展・その後」をあらためて開催したいと考えていました。しかし、２０２０年には新型コロナウイルスが猛威をふるったため、年内の開催は困難であると断念しました。

そのような状況のなかで、名古屋市のあいちトリエンナーレ２０１９分担金約３３００万円の不払い問題が起きました。そして名古屋市が不払いを決定すると大村秀章愛知県知事は裁判所に不払いは不当であると提訴（２０２０年5月21日）しました。すると激怒した河村たかし名古屋市長は美容整形外科医・高須克弥氏に相談し、大村知事へのリコール活動をはじめました。

私たち「『表現の不自由展・その後』をつなげる愛知の会（以下つなげる会）」は、多くの市民とともにリコール活動反対を訴え活動を展開しました。以下、おおまかな当時の流れを記します。

高須克弥氏、河村市長らによる大村知事リコールが始まる

2020年6月2日、高須克弥氏（以下高須氏と略）は名古屋市内で記者会見を開き、政治団体「お辞め下さい大村秀章愛知県知事　愛知100万人リコールの会」（以下「愛知100万人リコールの会」と略）の結成と大村知事へのリコール活動を行うことを発表しました。

河村たかし名古屋市長、高須克哉氏らによるリコール活動

「天皇陛下の写真に火をつけ燃やしてそれを踏みにじったり、我々を守るために亡くなった英霊を辱めるような作品を芸術作品として我々が払った税金から補助を与えるということ、それが一番許せない」と高須氏はリコール活動を行う動機について話しました。また政治団体愛知100万人リコールの会が結成された経緯については、記者会見前日（2020年6月1日）に河村市長ならびに事務局（リコール活動の事務局と思われる）と3時間近く話をし、その場で記者会見を行うことが決まったと話しました。さらに高須氏は、名古屋市があいちトリエンナーレ2019分担金不払いの件で実行委員会から提訴された時、河村市長から「こんなんでええんか。こんなんでええんか」と電話を受け、それなら自分が先陣を切ってリコール活動を始めようと思ったと、背後に河村市長の意向と関与が強いことを明らかにしました。

記者会見には、武田邦彦、百田尚樹、竹田恒泰、有本香といった過去の日本の侵略戦争を肯定・美化し、日本軍「慰安婦」問題を否定する歴

史改ざん主義者たちも集い、口々に「表現の不自由展・その後」への批判と、「表現の不自由展・その後」が企画されたあいちトリエンナーレ2019の実行委員長である大村知事への批判を口にしました。

「リコールの会」の田中孝博事務局長は、リコール活動の具体的な進め方について高須氏や河村市長、さらに記者会見に集まった人々のツイッター（現X）などのSNSを通じて受任者を増やし、リコール請求の代表者の数が200名集まった段階で一気に必要な署名数約86万6000筆を集める方法を取ると述べました。

「つなげる会」リコール反対の取り組みを開始

私たちは高須氏らの記者会見を受けて、多くの市民と意見交換を行うために6月7日に相談会を開催しました。相談会では、「反対運動をすることで、リコール活動の知名度を上げてしまう」、「大村知事と河村市長の対立が背景にありそのどちらにも加担したくない」といった意見がでました。一方、リコール活動があいちトリエンナーレ2019の際の暴力的で差別的な表現を多数ともなう形での「表現の不自由展・その後」への中止行動の再現をもたらす危険性と、その行動が愛知県内で多数の市民をまきこみ行われることを危惧する意見もありました。相談会の結果、リコール活動に反対する声明を「つなげる会」が作成することが決まりました。

6月13日、栄でリコール活動に反対する街頭宣伝を行い、6月20日にはリコールに反対する声明を発表し、リコール活動反対の賛同署名を開始しました。

反対声明では「私たちは、リコールは市民の権利であり当然否定しません。しかし『表現の自由』を否定し、ましてや歴史改ざん主義が背景にあるリコール運動が平然と行われることを容認することはできません。そして『表現の自由』の否定と歴史改ざん主義こそ、まさに『表現の不自由展・その後』への数々の脅迫と恫喝の背景そのものでした。だからこそ、今、あのような脅迫と恫喝を二度と許さないためにも、私たち市民は『表現の自由』と『歴史の事実』を守ろう！と声を挙げます」とリコールに反対する理由を展開しました。

一方、高須氏らは6月17日大村知事の不信任決議を求める請願書を愛知県議会に提出、6月28日にはコロナ感染症拡大が懸念され自粛要請が広まるなか、名古屋市の大須商店街で河村市長が前面に立ち、高須氏らと「愛知100万人リコールの会」の街頭活動を行いました。大勢の市民が「密」状態で二人の演説に耳を傾け、市民自ら高須氏や河村市長に声をかけるなど、市民からの反応は上々でした。

私たちも6月29日県議会会派に大村知事への不信任決議案に反対するよう要請を行い、7月4日にはリコールに反対する記者会見を行いました。そしてリコール活動の開始がいつになるのかはわかりませんでしたが、問題を訴えるためコロナ感染症拡大防止に努めつつ7月11日リコールに反対する県内一斉アクション、8月1日「大村知事へのリコール運動反対市民集会」を開催しました。

集会では、共同代表の久野綾子さんが「リコールが成立するのは難しいが、歴史改ざん主義と表現の不自由という息苦しい社会につながる運動に反対しましょう」という趣旨の発言を行い、同じく共同代表の中谷雄二弁護士が、河村市長がいかに日本国憲法の表現の自由を理解していないか、また施設使用に際して不当な差別を禁じている地方自治法を理解していないかを解説し、「名古屋市民、愛知県民が怒っていることを示そう」と訴えました。集会では歌もあり、また多くの市民が発言のなかで「来年は市長選挙がある。河村市長を選挙で落とそう」と訴えました。その他にも多くの市民がそれぞれの立場から多様な意見を述べていました。共通していたのは、リコールの理由があまりにもおかしいこと、そして河村市長が先頭に立つのは許せないこと、という感覚や確信でした。そして最後に神戸さんが「真実は沈まない」を歌い集会は終了しました。集会の様子はＹｏｕＴｕｂｅで「『大村知事へのリコール運動』反対市民集会８・１名古屋（本編）」で検索すると今でも見ることができます（以下に記す集会も同様に見ることができます）。

市民大集会＆デモ・地域配布チラシ・署名の取り組み

当初8月1日に開始が予定されていたリコール活動は、コロナ感染症拡大を受けての緊急事態宣言が発令されたため8月25日からに延期されました。

8月25日、私たちは河村市長に対してそもそもの争点であるあいちトリエンナーレ2019名古屋市分負担金約3300万円を支払うこと、またリコール活動に参加しないことを求める要請書を提出しました。そして提出後に名古屋市役所前で宣伝活動を行いました。その際、リコール活動開始日ということもあり、突然高須氏らが私たちの宣伝活動に乱入してきました。高須氏は「共産党のみなさん！」と言いながら私たちに近づいてきた、私は即座に「勝手に共産党と言わないでください！」と抗議しました。リコール反対活動＝共産党と勝手にレッテル貼りするその態度に本当に腹が立ちました。それはリコール活動反対運動の多様性を否定するとともに、ある主張を所属と結びつけて判断し、その所属を叩くことを一緒にする、という「いじめ」の構造をそこに見たからです。私は繰り返し高須氏に抗議をしました。するとうっとうしかったのか、そばにいた田中孝博氏が「わかりました。わかりました。もういいでしょう」となだめてきました。しかし高須氏はさらに私たちの街頭宣伝参加者に握手をしようとしてきました。リコール活動が「クリーン」なものである印象をメディアに与えた

市役所の前でリコール反対の街宣活動

市民によるリコールへの抗議集会

いことが見え見えだったので、むしろ高須氏ら側と距離を保ち、予定よりも早く街頭宣伝を終わらせました。嫌がられても平気で近づいてくるあたり、相当の「余裕」と太々しさがあるのだなと感じましたが、その後明らかになったリコール活動の巨大な不正、そしてその不正を途中までは「(リコール活動)反対派による謀略」と主張していた高須氏らと一緒の写真に収まることを避けたのは賢明だったと思います。当然握手は断りました。

リコール活動が開始されてから、その活動実態はあまり目立ったものではありませんでした。しかしその一方で、久しぶりに知り合いから連絡が来たら大村知事へのリコールに賛同してほしいというお願いだった、という声も聞かれました。見えないところで動きは確実にあると感じました。

私たちは、リコールに反対する世論をさらに可視化するために、9月6日に「止めよう大村知事へのリコール9・6市民大集会&デモ」を企画しました。またこの市民集会で、リコールに署名しないよう求めるチラシの地域配布を提起することとしました。

市民集会では、私たちの会の共同代表の一人であり憲法学者の長峯信彦氏から「大村知事は憲法で定められた表現の自由を守らなければならないと述べただけなのに、どこかの市長とどこかのクリニックの医師が前近代的な論理で表現の自由を否定しようとしている。本来なら無視すれば良い話だが、何かをしているからこちらも対抗しないといけない」、また「芸術作品における作品の意味は一義的にそれを決めつけることはできない、ましてや国家権力が作品の持つ意味を規定することはあってはならない」という趣旨の話を述べました。

また不自由展実行委員のアライ＝ヒロユキ氏、出展作家の大浦信行氏からのメッセージが代読されました。アライ＝ヒロユキ氏からのメッセージでは、あいちトリエンナーレ２０１９「表現の不自由展・その後」で起きたことは、大村知事と芸術監督津田大介氏による検閲事件であったこと、表現の不自由展を全国各地で開催することが重要であるとの提起がなされ、大浦氏からは、「さまざまな妨害や嫌がらせに屈することなく自らの表現をつづけていく」という決意表明がなされました。つなげる愛知の会からは地域でリコールに反対するチラシを配布しようという提起を行い、その後デモ行進を行いました。

じつはこの集会、高須氏がツイッター（現X）で事前に「参加」することを表明しており、仮に集会に参加した場合混乱する可能性を懸念していましたが、結局高須氏は集会には参加しませんでした。おそらく周囲が止めたものと思われます。

デモ行進では沿道にリコール活動推進派と思われる人々が少数、私たちに罵詈雑言を浴びせる場面がありましたが、最後まで整然と行われました。街頭の反応はリコール自体に興味関心が低く、それはリコール活動があまり浸透していないことを感じさせました。

私たちは地域配布チラシについてSNSでも呼びかけました。複数の市民から問い合わせがあり、多数のチラシを愛知県内で配布することができました。一方的にリコール活動という名目で表現の自由や歴史的事実がないがしろにされていることが悔しいので配布したい、といった市民の思いも知ることができました。市民による自発的な活動を促せたことはその後の集会にもつながっていったと考えます。

記者会見と2回目の市民集会の開催

この大村知事へのリコール活動の特徴の一つはSNSを多用したことです。実際リコール活動団体の結成記者会見の席で事務局長の田中氏はSNSを積極的に活用することを明言していました。そして、リコール活動に参加した市民のなかにも、SNSを通じて活動を知り参加した人々が多数いました。そしてそれらの人々はリコール活動の実態を正直に投稿していました。地域の集会所を借りてリコール署名を集める際、担当者がなかなか来ず、しかも肝心の署名に人が全然集まらないことなどを書き込んでいました。また、河村市長が2011年市議会リコールを成功させた際には、名古屋市内の喫茶店などでもリコール署名がなされていたと聞いていました。しかし今回そのような話は一切聞かれませんでした。それらから広範な市民による連携というよりは、一部の強固な思想を有する市民が努力しているといった印象を受けました。

このように低調に見えたリコール活動でしたが、それをリコール団体側も認識したのか、9月25日に名古屋市内でタレントのデヴィ夫人と作家の百田尚樹氏を呼んで記者会見を行い、愛知県内でのリコール活動の存在周知を図ろうとしました。

私たちもリコール活動側の記者会見に対抗して同じ9月25日に記者会見を開催しました。ワイドショーなどの娯楽番組に多数出演しているタレントを利用することで、リコール活動のワイドショー的な消費を懸念してのことでした。リコール活動の周知に対する懸念と同時に、その本質的な危険性がごまかされかねないことへの危機感もありました。

私たちは記者会見で声明を発表し、「『遠近を抱えてＰａｒｔⅡ』に対する批判として「天皇の写真を燃やした」という主張が多数あることについて、象徴天皇制に対する表現の自由が最大限保障されることが日本における表現の自由において極めて重大であり、表現の自由と歴史の事実は公共性の基礎であり、リコール活動の本質は市民社会の公共性を毀損する極めて危険な行為である」と主張し、10月18日の「やっぱりおかしい！大村知事へのリコール10・18市民集会」への参加を呼びかけました。

記者会見に参加した、「表現の不自由展・その後」実行委員のアライ＝ヒロユキ氏は、「大村知事へのリコール活動の本質がスラップ訴訟のような恫喝行為である」ことを述べました。また出展作家の白川昌生、大浦信行両氏からのリコール活動に反対する立場からのメッセージを読み上げました。

デヴィ夫人と百田氏、それに高須氏らは記者会見のあとに名古屋市内を車で回りリコール活動の周知に努めました。彼らの記者会見の模様は愛知県内ではテレビ局を中心に大きく報道されましたが、リコール活動への関心は低いままのようでした。

私たちは地域配布チラシの普及を促進しつつ、各地で街頭宣伝を行いました。6月20日から集めていたリコール活動に反対する署名を10月18日に締め切り、個人賛同7021名、団体賛同55団体から署名を集めることができました。署名活動を通じてリコール活動を阻止することはできませんでしたが、いかに危険な活動であるかについての周知と、とりわけ明確に反対の意思を示す必要性については広めることができたと考えます。10月18日、名古屋市内の栄にある噴水の前で「やっぱりおかしい！　大村知事へリコール10・18市民集会」を開催しました。この集会は、ほぼ不成立が予想されるリコール活動について、その問題点を多くの市民と共有することを目的に開催されました。

集会は、これまでとは異なる参加者が多数参加しました。そして集会前に横断幕を持ってくれる人をハンドマイクで呼びかけたところ、複数の市民が自ら手を挙げ横断幕を持ってくれました。リコール活動の危険性を認識し、声を挙げようと思う市民に積極的に協力してもらえたことはその後の運動にとても励みになりました。

集会の発言者からは、リコール活動がヘイトスピーチを背景とし、またヘイトスピーチを強めていることの危険性と問題性が複数指摘されました。私たちの会の共同代表の一人である磯貝治良氏は「河村氏と大村氏の二人のケンカは昔からやっていて子どものケンカみたいなもので放っておけばよいが、今回のは根が深い問題であって放っておくわけにはいかなくなってきている。背景には日本だけではなく世界中で問題になっている差別排外主義がある。煽情的に人の心を煽るような差別が欧米でも日本でも流行している。猛烈なヘイトの社会が日本にも出現していてこれをなんとかしないといけない。日本の深い深い恥部というか病を駆除する。そういう運動として、この運動を私たちはこれからも残念ながら続けていかないといけないと思います」と述べました。

久野綾子氏はベルリンミッテ区に設置されていた「平和の少女像」に対する日本政府の妨害活動を紹介し、「妨害活動は日本政府による旧日本軍性奴隷制度被害者に対する『いじめ』であり、それは天皇の軍隊が引き起こした問題を隠蔽するためのものである、自分の家族が性被害にあったことを想像してほしい」と述べました。このほかにも様々な立場から発言がありました。最後は神戸さんが「真実は沈まない」を歌い、私たちの会のメンバーが前に出て歌い踊り、シュプレヒコールを行い集会を終えました。

リコール不成立とリコール署名不正の発覚

岡崎市など一部自治体を除き、10月25日でリコール期間が終了し、11月4日、リコール活動側は愛知県選挙管理委員会にこれまで集めた署名を提出しました。しかし提出の体裁が要件を満たしておらず、深夜におよぶまでボランティアが修正を行い選挙管理委員会がそれに付き合わされる事態となりました。

11月7日、愛知県選挙管理委員会は43万5231人分の署名が提出されたと明らかにしました。リコールが成立するための86万6500筆には到底届かず、リコールは失敗に終わりました。同日、高須氏は体調不良を理由に突然リコール活動の終了を宣言しました。あっけない終わり方でした。

私たちは11月9日、リコール活動は失敗したという趣旨の声明を発表し、リコール活動反対運動の終了を宣言しました。

リコール活動はその後、大規模な不正行為が明らかになり刑事事件に発展しました。提出された43万5231人分の署名のうち、83・2％にあたる36万2187人分が無効とされました。そしてリコール活動の主体である高須氏と河村市長はその後決裂し、リコール側内部での争いも発生し、世間の関心はリコール活動の不正へと移っていきました。これまで「表現の不自由展・その後」についてほぼ報道してこなかった中日新聞も特集を組み、「民意の捏造」「民主主義の危機」であるという論調が目立ちました。

しかし問題の本質は「リコール不正」ではありません。表現の自由を否定し、歴史の事実を否定し、差別排外主義をもたらす危険性こそリコール活動の本質です。そしてその本質自体を強く否定する動きは、残念ながら弱かったと言わざるを得ません。しかし、そのなかでも心ある市民が自発的に声を上げ、つながり、明確に反対の意思表示をしました。何より、市民団体が団体として整然と反対の意思を示し、公然と反対の宣伝と運動を展開したことは大きな意義があったと思います。悪質な行為は黙認してはいけません。明確に間違っていると指摘しなければ市民社会自体が悪質な行為に「慣れて」しまうからです。

ＹｏｕＴｕｂｅなどを使い、もっと明確に反対の世論を形成した方が良かったかもしれないといった反省がないわけではありませんが、一市民団体として多くの市民とともに原則的に取り組む経験ができたと思います。

河村名古屋市長の暴走を立憲主義的に止める試み

トリエンナーレ負担金訴訟対応に関する住民監査請求運動

田巻紘子（弁護士）

1　はじめに

河村たかし名古屋市長は、「あいちトリエンナーレ２０１９」（以下では「本件芸術祭」といいます）の実行委員会に対し、名古屋市が支払うことを約束していた負担金（３回目支払い分）の支払いを拒み、実行委員会から名古屋市に対して、支払いを求める訴訟が提起されました（以下では「負担金訴訟」といいます[1]）。

負担金訴訟の応訴費用と控訴費用を名古屋市が負担することについて、住民監査請求を申し立て、その正当性を問うたのが、本稿でご紹介する住民監査請求運動です。

2　住民監査請求運動のきっかけ〜負担金訴訟名古屋地裁判決への市長の対応

負担金訴訟において名古屋地裁は、２０２２年5月25日、実行委員会の請求を全額認める判決を言い渡しました。この訴訟での法律的な争点は、実行委員会に名古屋市が約束していた支払いを反故にできるほどの事情変更が認められるか否かという点でしたが、事情変更は認められないとの判断が示されました。また、本件芸術祭が公共事業である、3作品が反対の考えを持つ市民へのハラスメントになる、などの名古屋市長の主張も退けられました。法律実務家としては、想定どおりと評価される判決です。

河村たかし名古屋市長はこの判決について真摯な検討を行うことなく、判決直後の2022年5月30日の定例記者会見において、本件芸術祭の出展作品の一部である3作品を特定して「反日プロパガンダ」の人たちにしか支持されないなどと指摘したほか、裁判所は「反日」を擁護したなどと非難し、控訴を表明しました。

このような市長の独善的な姿勢は、本件芸術祭の開催中から示されていたものですが、司法判断を経てもなお、このような姿勢を取り続けることについて、一市民として強い危惧を持ちました。

3 「そうだ、住民監査請求はどうだろう？」

市民として、河村たかし名古屋市長の暴走を止める手立てはないだろうか。その思考を巡らせる中で、住民監査請求制度が頭に浮かびました。名古屋市が負担する地裁段階の応訴費用のうち弁護士費用、控訴費用（裁判所に対する印紙代等及び弁護士費用）について、違法または不当な支出であるとして河村市長個人に負担させるように求める住民監査請求をしてはどうか、という考えです。背景に、沖縄・高江の米軍ヘリパッド建設時に住民を排除・弾圧するために愛知県警察機動隊が派遣されたことに対する住民監査請求・住民訴訟運動が愛知県で取り組まれていた経験がありました。

住民監査請求は、住民が一人でも公金の使われ方について法令違反等を問題として是正を求めることができる制度であり、地方自治法上に位置づけられたいわば立憲主義的な制度です。

4　住民監査請求の理由

住民監査請求の理由には「違法または不当」な公金支出であることが求められます。本件では、本件芸術祭開催中から、市長が自身の支援者に向けて、本件芸術祭の特定3作品について批判を述べ、本件芸術祭のうち「表現の不自由展・その後」について一貫して中止を求めて座り込みなどをしてきたことと、負担金訴訟における応訴態度を一連のものとしてとらえ、憲法的評価を行う必要があると考えました。

第一に、河村氏が市長として特定3作品の展示の中止を求めてきたこと及び特定3作品を「反日的」であると問題視する発言をしてきたことは、端的に表現の自由（憲法21条1項）の侵害です。第二に、市長が特定の芸術作品を「反日的」であると評価することは、表現活動の受け手として芸術作品を解釈・鑑賞する市民の内心・良心の自由（憲法19条）を侵害します。第三に、河村氏は自分の支援者のために個人的な政治信条を市長として発言し、名古屋市の公金を用いて行動に移しているのであり、全体の奉仕者（憲法15条2項）の言動とはいえません。さらに、負担金支払い拒否及び控訴は、河村市長が独断にて支払い拒否を決定したとの評価を免れず手続き的規律を欠くものとも指摘できます。これらの理由を住民監査請求の理由として掲げました。

5　住民監査請求を取り組む意義と懸念点

住民監査請求は、２０２２年7月の参議院選挙投開票日以前に行いたいと考えました。

第一に、河村市長による市政の私物化への異議申し立てを行う者として、参院選を通じた市長による国政の私物化の狙いも阻止する必要があると考えたためです。第二に、同年8月下旬には、名古屋市の市民ギャラリー栄で、２０２１年に市長の判断により開催期間途中で中止を余儀なくされた「私たちの『表現の不自由展・その後』」の再実施が予定されていました。その開催を後押しする意味も込めたいと思いました。第三に、なにより河村市長にこれ以上好き勝手をさせないためには、名古屋市として負担金訴訟への控訴を決断した直後に、異議申し立てに取り組む意義が大きいと考えました。

一方で、懸念点もありました。意見の対立がある事柄について訴訟提起を行い、裁判所の判断を得ることは憲法上の裁判を受ける権利です。この住民監査請求を行うことにより、見通しが厳しい訴訟は控えるべきだとの主張をしていると思われないようにする必要がありました。問いたいのは河村市長の言動の違憲性であり、名古屋市が応訴（あるいは控訴）しても結論が見えている訴訟に公金を支出することの当否ではありません。監査請求理由の正しい理解を広める必要がありました。

6　あっという間に広まった賛同

２０２２年6月19日から同月30日まで、わずか11日間に１７６名の方が住民監査請求人になってくださいました。名古屋市民限定の取り組みであり、10日足らずの間に１７６名の方が参加されたことは、この取り組みが時宜を得た、皆さんの心に届くものであったことを示しています。「河村たかし・名古屋市長による芸術の政治利用を許さない市民の会」との団体を結成し、7月7日、名古屋市に対して住民監査請求を申し立てました。

7　中身に立ち入らない不当判断

申し立ての後にも活動を続けました。8月5日には愛敬浩二先生（早稲田大学教授）に講師を依頼し、私たちの住民監査請求が提起している憲法上の論点について学習を行いました。イーブル名古屋の会場とオンラインあわせて50名近い参加者が学びました。

請求人となってくださった皆さんに陳述書を書いてくださるようお願いし、3名の方から詳細な陳述書を頂きました。その上で、8月19日には監査委員の前で、意見陳述を行いました。発言者を3名と限定されたため、請求人から1名、代理人から2名が陳述を行いました。

住民監査請求は9月2日付にて棄却という不当な結果でした。監査委員は、最高裁判例を意図的に誤読し、原因行為の違法を判断しないという逃げた判断を行うことにより、私たちの住民監査請求の理由に立ち入らないで棄却判断をしました。監査委員に法律家が一人もいないこと、常勤の監査委員が市職員ＯＢ一人のみであることなど、住民監査請求の運用体制の問題がこの決定から明らかになっていると考えます。

決定後、9月に請求人の皆さんと意見交換を行い、住民訴訟提起には進むことなく、今後もそれぞれが河村市長の大衆煽動の手法の監視とたたかいを続けていこうとの総括を行いました。

8　今後の課題

名古屋市は２０２３年３月、約半世紀にわたって続けてきた憲法記念日・愛知憲法会議主催の「市民の集い」への名古屋市の後援を、今回は行わないと決定しました。背景には河村たかし市長が本件芸術祭への負担金不払いの根拠とした「政治的中立性」と同様の議論があるように思われます。市民から反対の意見があるものに名古屋市は関わらないという議論です。しかし、この議論が一見「中立」であるように見えつつ、その実、市長の政治姿勢によって「中立」の線引きを変えることができる恣意的なものであることは、負担金不払いを巡る一連の経過で明らかです。

芸術を政治利用する首長は、いずれ政治的表現をも弾圧する。残念ながら河村市長はその道を突き進んでいると言えます。私たちが取り組んだ住民監査請求の理由、憲法的評価に関する議論を何度でも学び直し、その独善的手法にＮＯ！を繰り返し突きつけていきたいと考えます。

（１）負担金支払拒否から負担金訴訟までの経過は、名古屋市ウェブサイト上で公開されている。
https://www.city.nagoya.jp/kurashi/category/11-11-1-18-0-0-0-0-0-0.html

２０２２年12月２日、名古屋高裁は名古屋市の控訴を棄却し、名古屋市はこれを不服として最高裁へ上告の提起及び上告受理申立てを行った。これに対し、最高裁は２０２４年３月６日、上告を棄却し、上告受理申立てを受理しない決定を行い、これにより名古屋市に対して負担金の支払いを命じた名古屋地裁判決が確定した。

リコール反対運動に思うこと

神戸郁夫

２０２０年6月、高須氏と河村市長が大村知事へのリコール運動を行うと発表しました。前年、あいちトリエンナーレの「再開を求める会」は「つなげる会」に名称を変更し、２０２０年8月に市民の手で「表現の不自由展・その後」を開催しようと準備をしている最中でした。「つなげる会」ではリコール反対の運動をすることを決め、コロナで「不自由展」の開催を断念したこともあって、この年の後半はリコール反対が「つなげる会」の活動の中心になりましたが、私はこの会の方針には非常に消極的でした。やりたいならやらせておけばいいし、どうせ成功しない。「つなげる会」は自分たちで不自由展を開催するのが目的なのだから、余計なことに労力を使いたくないし、きっとリコール反対の声があちこちから上がってくるだろうからそこに参加すればいいと。しかし、リコール反対の声明などを出した団体はありましたが、街頭行動や集会を開いて反対の運動を広げていく団体はありませんでした。河村市政に異を唱える政党や市民団体、トリエンナーレの再開に向けて声をあげた人たち。みんなどうしちゃったの？　私と同じように誰かがやればそれに参加しようと思っていたのかな？

ベルリン市ミッテ区「平和の少女像」撤去要請に抗議する

神戸郁夫

「表現の不自由展・その後」をつなげる愛知の会（以下、「つなげる会」）が、河村名古屋市長と高須克弥氏らによる大村愛知県知事リコール署名に反対して、署名活動や集会、街頭宣伝などに追われている最中の2020年10月1日に、自民党の茂木敏充外相（当時）がドイツの外相に対してベルリン市ミッテ区に設置された「平和の少女像（正式には「平和の碑」）」の撤去への協力を求めたとの報道がありました。

ドイツのベルリン市では市民団体がミッテ区の公有地に「平和の少女像」を設置し、9月28日に除幕式が行われたばかりでした。除幕式に対し加藤勝信官房長官（当時）も「政府としては撤去に向けてさまざまな関係者にアプローチしていきたい」と言及していました。

前年8月の「あいちトリエンナーレ2019」での企画展「表現の不自由展・その後」が多くの妨害と脅迫でわずか3日間で中止になった時も、その攻撃の的の一つが「平和の少女像」でした。「平和の少女像」は戦前の日本軍による従軍慰安婦（国際的には旧日本軍性奴隷制として知られている）を象徴し、海外では戦時下の女性に対する性暴力の記憶の象徴として扱われています。日本政府は1993年の河野談話で、当時の軍の関与を認め、被害者に対してお詫びと反省の気持ちを表明したにもかかわらず、2011年に韓国で初めて平和の少女像が設置され、それが世界各国に広がると、「日本政府の立場と相容《い》れない。すみやかに撤去を要請する」として設置を妨害してきました。直近ではドイツのカッセル大学に設置された平和の少女像に対し、日本領事が撤去を求めて繰り返し大学に来訪し、日本の右派市民らによる大量の抗議メールが送られました。これらの圧力に屈して2023年3月9日に平和の少女像は撤去されています。

ベルリン市ミッテ区に設置された少女像に対して閣僚から撤去要請の発言が続く中、2020年11月、これに同調して河村名古屋市長がミッテ区長に平和の少女像の撤去を求める書簡を送るとの報道がありました。11月4日、これに抗議するために急きょ市民が集まり、市役所前の歩道で河村市長に対して街頭行動を行いました。横断幕には「名古屋市によるベルリン市ミッテ区への平和の少女像撤去要請に抗議！　植民地支配を過去に遡って反省することは世界の大きな流れです　河村市長は侵略の事実に真摯に向き合い反省を」と書かれていました。急な呼びかけにもかかわらず約20名が集まり、名古屋市庁舎の中にいる河村市長に対して順番にマイクを握って抗議の声を上げました。

市役所前での抗議行動（2020年11月4日）

翌11月5日、名古屋市が「河村市長がミッテ区長に少女像撤去を求める書簡を送った」と発表がありました。この書簡の中で河村市長は、少女像は「芸術作品ではなく政治的主張」であり、2019年のあいちトリエンナーレに対する名古屋市の負担金の一部の交付を取りやめたことに触れ「多くの市民からも『私たちが収めた税金が政治的主張に使われるのはおかしい』『名古屋市は、歴史的事実に基づかない、日本を中傷する表現を認めるな』と抗議が寄せられました」として、「日独友好の取り組みが脅かされ」ると、脅しともとれる発言をしています。

つなげる会ではすぐに河村市長に対する「抗議と撤回要求書」を作成し、11月6日、名古屋市に要請すると同時に名古屋市議会の各会派に申し入れし、記者会見を行いました。日本政府や河村市長ら行政の長が、何が芸術か芸術でないかを決めることは憲法で禁じられている検閲であり、表現の自由の侵害です。また旧日本軍慰安婦という過去の歴史の事実を否定することは歴史の改ざんです。1年前（2019年）のあいちトリエンナーレ2019で起きた「表現の自由の侵害」と「歴史の改ざん」が、ミッテ区の「平和の少女像」に対しても行われているということに、つなげる会は強く抗議し、11月10日には栄三越前で街頭行動を行いました。また、11月19日につなげる会からミッテ区長宛に、日本政府や名古屋市長の行った平和の少女像撤去要請に対して私たちが怒っていることや、多くの市民が「平和の少女像」の持つメッセージに共感・理解していることを伝える書簡を送りました。

12月1日、ミッテ区議会は「平和の少女像」の設置の継続を支持する決議を可決し、それを受けてミッテ区は、一時は許可を取り消した少女像の継続的な設置を許可しました。

ミッテ区の平和の少女像をめぐる抗議行動を通して、改めて日本政府の妨害の実態を多くの人に知ってほしいと思い、翌2021年7月のつなげる会主催の「私たちの『表現の不自由展・その後』」の市民運動展示の中に、「平和の少女像―日本政府が建立を妨害する」という展示を追加し、世界各地の「平和の少女像」の写真と妨害の経緯を載せました。

2017年に設置された米サンフランシスコの「平和の少女像」をめぐっては、当時の吉村洋文大阪市長が姉妹都市提携を解消しましたが、「平和の少女像」の設置は継続。同じく2017年に設置されたフィリピン・マニラの少女像は、日本政府の抗議によって撤去されています。

Ⅱ

「私たちの表現の不自由展・その後」をめぐって

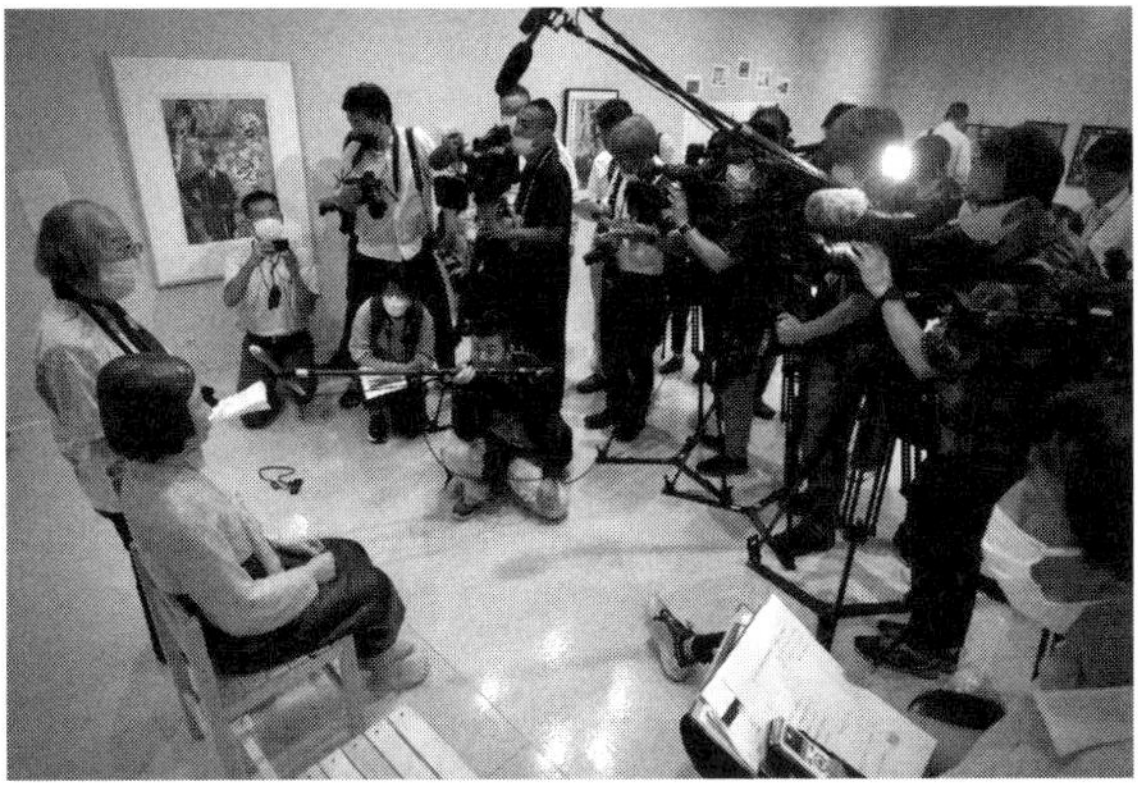

オープニング内覧会（2022 年）

中止への抗議のため名古屋市役所へ（2021 年 7 月 9 日）

再び踏みにじられた「表現の自由」
——2021年7月　私たちの「表現の不自由展・その後」

山本みはぎ

2021年7月6日から11日まで、約1年の準備期間を経て、名古屋市栄の市民ギャラリー栄で、「私たちの『表現の不自由展・その後』」を開催しました。しかし、展示会3日目の朝、不審な郵便物の破裂事件という卑劣な暴力行為によって中止を余儀なくされました。2019年のあいちトリエンナーレの企画展「表現の不自由展・その後」が、中止に追い込まれ不完全な再開を受けて、市民の手で再び表現の自由を取り戻し、歴史の改ざんを見直す機会になればと企画した展示が、またも暴力で中止に追い込まれたことに言いようのない憤りと、展示を見に来た人たちへの申し訳なさを感じました。

中止決定直後からの、民主主義の根幹である「表現の自由」に対する妨害への怒り、それを容認する硬直化した行政への不信感の中で、期間中の再開を求めた私たち「表現の不自由展・その後をつなげる愛知の会」（以下「つなげる会」）のメンバーと弁護士、市民らは精力的に動きました。期間中の再開は叶わなかったものの、「表現の自由」を守り、歴史改ざんを許さないという強い思いが、翌年の失われた4日間の展示の再開を実現した原動力だったと思います。

開催に向けて

２０１９年8月、あいちトリエンナーレ２０１９の企画展「表現の不自由展・その後」が、妨害や脅迫、嫌がらせなどの暴力によって中止になり、会期末直前になって再開はされたものの、その再開は、人数制限や持ち物検査など様々な制約があり、たくさんの人が展示を見ることができませんでした。私たち「つなげる会」は、トリエンナーレ実行委員会に再開の方法など再考するように要請をしましたが、結果的には再考されず、会場に足を運んだ多くの「見たかったのに」という想いは実現できませんでした。

「表現の不自由展・その後」の再開後も、名古屋市によるあいちトリエンナーレの分担金の不払い問題、日本第一党による「トリカエナハーレ」の開催などに対抗する運動を続ける中で、大勢の「見たかった」と言う人の想いを実現させるために私たちの手で展示会を開催しようという声があがりました。

２０２０年2月から、「表現の不自由展・その後」が開催された、愛知芸術文化センターに会場を決め、実行委員会の立ち上げ、作品の選定、「表現の不自由展実行委員会」との調整など、準備を始めました。しかし、新型コロナが蔓延しだした時期と重なったこと、会場として申し込んだ愛知芸術文化センターから許可条件として十数人の制服の警備員の配置の条件が付いたこと、河村たかし名古屋市長らの大村秀章愛知県知事リコール運動が始まったことなどが重なり、いったん開催を保留としました。そして、２０２０年11月、大村知事リコール運動が一段落した時期に（その後、リコール不正の問題が明らかになりましたが）、再度展示会開催に向けて動き始めました。

会場をめぐって

２０２１年１月から準備をはじめ、会場は名古屋市の施設で、名古屋市文化振興事業団が管理運営する、市民ギャラリー栄とすること、開催時期は７月と決め、同月、市民ギャラリー栄に会場の貸し出しを申し込みました。ところが、他の団体が借りていない時期への日程変更や、展示会場以外の部分にも「警備」要員を配置することなど、いろいろと使用許可にあたって条件を出してきました。私たちは、市民ギャラリー側のこの対応に当然納得せず使用許可を出すように交渉をしました。

そもそも、日程の変更などは到底認められるものではなく、名古屋市の市民ギャラリー条例や市民ギャラリー条例施行細則によっても、施設の貸し出しを拒む理由はないし、地方自治法２４４条２及び３では、「正当な理由がない限り、住民が公の施設を利用することを拒んではならない」「住民が公の施設を利用することについて、不当な差別的取扱いをしてはならない」と規定しています。

市民ギャラリー栄の建物は、名古屋市と民間企業が共同管理をしており、７階と８階が名古屋市から委託を受けた名古屋市文化振興事業団が管理・運営するギャラリースペースになっているという構造です。他の階には区役所や保健所などが入居をしていますが、展示場以外にも「警備要員」をという条件も、私たちが借りた８階の展示場以外の区役所や保健所などは私たちに管理権はあるはずもなく、「警備」などという資格もないことは明らかであり、私たちの責任の及ぶところではありません。許可の理由として私たちに「安全性の担保」を求めることは法に照らしても不当な要求です。来場者が多数になった場合、人員の「整理」はするが、それは許可を出してからの話し合いでという主張は譲れない線でした。

話し合いは平行線をたどったことから、弁護士にも相談し、申し込みから３ケ月たっても許可を出さないのは行政不服審査法に基づく「行政の不作為」にあたるとして再度交渉に臨みました。使用許可が出されたのは4月27日。名古屋市長選で河村名古屋市長が4選を果たした直後だったのは単なる偶然とは思えません。公共の施設に対して「安全」を条件に、使用許可を出さないことは、法的にもあってはならないという当然の主張を、最終的に施設側に認めさせたことは、今後の他の地域での公共施設での開催の際の良い前例にはなったと思います。

会場は無事押さえられましたが、厄介なことに、私たちの展示期間中に、日本第一党が企画する「トリカエナハーレ」が、同じフロアで開催されるということがわかりました。「トリカエナハーレ」は、2020年にもあいちトリエンナーレ2019に対抗し企画しているもので、2019年の展示は県の施設で行われ、「犯罪はいつも朝鮮人」と書かれたカルタなどが展示され、大村知事が、「明確にヘイトにあたる。その時点で中止を指示すべきだった」と事後に明言するほどのヘイト展示です。本来、別の会場での開催を進めていたものを、私たちが開催するということで会場を変更したそうです。私たちの展示に対する、嫌がらせ、恫喝以外の何ものでもなく、それに備えた対応も余儀なくされました。

何度も、名古屋市文化振興事業団と協議を重ね、責任範囲の確認や、入場者の導線の調整などを行いました。コロナ禍でもあり、観覧は1時間枠で定員は50名、開催時間は午前10時から午後7時までとしました。整理券の配布と「鑑賞に際して」という文章を全員に配布し、注意喚起を行いました。

開催の2カ月前に記者会見を行い、マスコミに開催の発表をしました。施設側は、あいちトリエンナーレ2019のこともあり、公表時期をぎりぎりまで遅らせるようにと要望をしてきましたが、私たちは事前の宣伝期間が必要だし、妨害に対する対応はあいちトリエンナーレ2019の教訓を活かして対処して欲しいと要望し、記者会見に臨みました。公表後、市民ギャラリー栄や文化振興事業団にはかなりの数の嫌がらせの電話があったということで、業務に支障が出たり、対応した職員はかなり疲弊したと聞きました。つなげる会の連絡先も公表しましたが、脅迫メールが1件だけで、ターゲットを会場に絞った嫌がらせは本当に許せない行為です。

その他、警察への警備要請、期間中の見守りのために「自由法曹団」の弁護士への依頼など、考えられる準備を重ねていきました。

それでも、展示に批判的な人が来るかもしれないという懸念はありましたが、静かに鑑賞するなら、批判的な人でも拒まないというスタンスで臨みました。

開催までの準備

①プレ企画「成功させよう！　私たちの『表現の不自由展・その後』」志田陽子さん講演会

開催まで1週間に迫った、7月3日にプレ企画として武蔵野美術大学造形学部教授の志田陽子さんを講師に「成功させよう！　私たちの『表現の不自由展・その後』」市民集会を開催しました。志田さんは、「表現の自由と共存社会　表現の自由の基本」というテーマで、表現の自由の基本は国家からの自由で、個人の人格形成と発展に不可欠で共存社会を支えるために大切なもので、民主主義社会の前提である。そのために憲法21条のルールがある。その上で、ヘイトスピーチの規制について、異論・批判と、マイノリティへの排除・排撃とを区別する必要がある。政府や自治体、議員や行政職員など公権力の担い手は、ヘイトスピーチ解消に向けた努力を行う必要がある。国など公権力が文化への公的支援を行うことは、憲法25条（健康で文化的な最低限度の生活）や26条（教育を受ける権利）に基づく。ヘイトの克服＝《生存からの排除》が起きない社会を構築するために、土壌としての「表現の自由」を、長いスパンで見て、萎縮させずに守っていくことが大事と話された。

②ボランティア募集

会場の使用許可が下りないまま、展示作品の交渉、市民企画の作品作り、チラシ作り、展示費用捻出のためのクラウドファンディングの用意、運営ボランティアの募集など必要なことを整えながら準備を進めていきました。

6日間の開催期間中、つなげる会のメンバーだけでは到底運営はできないことから、ボランティア募集を行い、60名あまりの登録がありました。期間中は、観覧者の誘導や会場の見守りなど、延べ300人もの方が協力をしてくださいました。7月の炎天下の中、観覧者の誘導や案内などボランティアの皆さんの協力なくしては開催できませんでした。

2日間の開催

7月5日、作品を搬入し、展示の準備を整え、翌6日からの展示に向けて最終確認をして翌日からの開催に備えました。1日目の開場前にマスコミ向けの公開をしました。大勢のマスコミが取材にきて時間も足りなかったこともあり、10時からの観覧時間の会場は大勢の人でごった返しましたが、その後は特に大きなトラブルもなく、2日間で延べ800人以上の参加がありました。観覧者は、大型モニターに写された大浦さんの「遠近を抱えてpart2」の前で作

展示された少女像（2021年7月）

展示場にて

品に見入り、「平和の少女像」の椅子に座り、壁いっぱいに展示された安世鴻さんの日本軍「慰安婦」被害者のおばあさんの、今だ癒えることのない苦痛をその顔に深く刻んだ作品の前で立ち止まり、作品を鑑賞していました。

観覧者の方はたくさんのアンケートを書いてくださいました。この展示を見てくださった方の率直な感想が書かれていて、展示までに様々な困難がありましたが、本当に開催してよかったと思う内容です。いくつか紹介します。

「『平和の碑』平和の少女像の隣に座って何を感じるのかと思いながら来場した。座ってみた。胸がどきどきした。この感情が何者なのかこれから考えていきたい。こういうふうに座って考えられる場が、日常的にきがるにできる世界を私は望む！」

「ものものしい警備の中の展示、敬服します。大変な反発があったでしょう。少女像の表情を見て涙が出ました。多数の証人たちの写真とコメントで何があったのか、当時の人たちが何を思って感じたのか伝わって来ます。こんな平和な展示が、政治の話、イデオロギーの話、ナショナリズムの話になってしまっているのがとても悲しいです」

「右翼的な（まじめそうな）人も来ていましたが、賛同しない方でも見る機会を与えるべきです。それが民主主義です。どんな考えも、表現の自由を認めることこそが本物の民主主義です」

「『慰安婦』の写真はおばあさんがほとんどで、若い少女像は当時の様子を想像させる。私にも11歳の娘がおり、同世代の少女が慰安婦になったことが、椅子に一緒に座ったことでまざまざと頭に浮かんだ。画面で見るだけではわからなかったことが、展示会の空間で感じることができた」

「私もまだ10代ということもあり、彼女たちの負った傷を考えると苦しい気持ちでいっぱいです。もう二度とあのようなことがおこることがないようにしなくてはならないと、強く感じました。ずっと来たかっ

展示場にて

展示場にて

展示場にて

たので、今日来れてよかったです」

「作品を見て、歴史をきちんと考える上で貴重だと感じました。何故見せてはならないとするのか。憤りを覚えます。私は女性です。『平和の少女像』『遠近を抱えて』も戦争による痛みが伝わってきました。日本の社会は実に閉鎖されていると思います」

中止事件について

①郵便物の破裂と全館封鎖・施設退去

3日目の朝も、私たちスタッフは8時ごろに会場に到着し10時からの開場の準備をはじめました。9時半ごろには地下1階の整理券配布受付場所から移動し、8階の展示場の控室に20人ほどの人が待機していたところ、9時40分ごろに突然、施設職員から「全館封鎖、一次退去」の指示が出ました。何が起こったか正確にわからないまま、待機していた観覧者と8階スタッフ、地下の受付スタッフと観覧者も含め建物外に退去しました。待機していた観覧者の皆さんに、事情を説明し待避の説明をするとき、「これで展示ができなくなるのではないか」という直感的な悔しさでこみあげてくるものがありました。

②施設退去後の対応

敷地外に出た私たちは、当日の見守り弁護士と一緒に、市民ギャラリー栄に状況を説明するように何度も問いただしましたが、「警察から何の説明もない」と繰り返すばかりで、1階の施設内に入ろうとすると執拗に施設外に出るように要求されました。しかし、「全館封鎖」にも関わらず、ビル内にある区役所もコロナワクチン接種のための保健所も郵便局も通常通り営業しているではありませんか。

10時50分に、朝日新聞のWEB版で「表現の不自由展会場に爆竹？　入り郵便物　破裂し避難騒ぎ」の見出しで、「来場者が避難し、ギャラリーの職員が郵便物を警察官立ち会いのもとで開けようとしたところ、爆竹のようなものが破裂した」という記事が掲載され、マスコミ報道で初めて事件の一端を知ることになりました。11時50分、私たちは、①緊急退避の一時避難であり、このまま中止は認められない。②施設管理者から警察に対し必要な安全確保を要請すること。③施設管理者が、安全確保ができたと判断した場合速やかに再開すること、を改めて申し入れ、状況を逐次連絡するよう要請しました。12時30分には、施設側から追加の情報はないということで、午後の開催を断念せざるをえませんでした。この状況を周知するために弁護士、「つなげる会」メンバーで急きょ記者会見を行いました。

③「全館休館・施設利用停止」と施設側との協議

午後3時頃、名古屋市文化振興事業団の宮田主幹から電話で「市民ギャラリー栄の11日までの全館休館と施設利用の中止」と連絡がありました。私たちは、一方的な電話での休館・利用停止の通知は容認できないと、急きょ7階の事務所まで赴き、ことの経過の説明を求めました。協議には、弁護士と「つなげる会」メンバーと名古屋市文化振興事業団の宮田主幹が参加し、ここで初めて、宮田主幹から「不審な郵便物を発見したため警察の判断で退避要請を決定した」「ギャラリー栄の安全管理が担保されていないため、市民ギャラリー条例施行細則第3条第2項に基づいて休館措置を決定し、市民ギャラリー条例の第7条第5項によって施設利用停止を市長が判断した。期間は7月8日から11日まで」という説明を受けました。

この話し合いの中で、「今時点で、予測できる具体的な危険性はあるか」という問いに対して、宮田主幹は「今現在予測できる危険性はない」と明言をしました。協議を行ったのは破裂事件が起こった同じフロアです。名古屋市が言う安全管理がされていない場所で協議し、なおかつ「差し迫った危険はない」ということなのに事実上の中止決定は到底認められるものではなく、私たちは休館と利用停止決定までの事実関係と再開のための協議を強く要請しました。

④名古屋市文化振興室との協議

翌9日、名古屋市文化振興室（事業団を管轄する名古屋市の部署）に対して、一方的な休館と利用停止に抗議し、再開に向けての協議の場を設けるよう、要請書提出行動を行いました。午前10時から市役所前の街宣には50人を超す市民が集まって声をあげ、その後の申し入れは市役所前の公開の場で行いました。

この話し合いの場で文化振興室の興梠氏からは、「展示会の開会前に指定管理者と主催者の打ち合わせの中で、施設の安全管理が脅かされるような状況があった場合には展示の一時中断などの対応をすることがありうると指定管理者から説明をしていること」「開催までに、名古屋市に対して意見や抗議はあったが、脅迫や業務妨害の予告であるとか違法行為はなかった。事案が発生をしてから臨時休館にいたるまで繰り返し警察と協議をしていた」こと、「事案（郵便物の破裂）を受けて、施設全体の安全確保はできない。安全対策をしたうえでの継続方法までは至っていないし、11日までが安全確保上必要と判断した」との発言がありました。

しかし、具体的にどのような状況で郵便物が開封され破裂したのか、被害の程度やその後の安全確保の状況など具体的な点については、「事案について捜査中のことなので警察から状況について回答をする。名古屋市からの回答は控えてほしい」という要請があり、名古屋市としても回答を控えるという判断をした、と答えています。

私たちは、展示会開催までは、市や文化振興事業団に対して、犯罪に当たる脅迫や業務妨害の事案はなかったこと、郵便物の破裂事件の詳細と、その後の安全確保の状況は十分な説明がなく、憲法が認める「表現の自由を制限するほどの差し迫った危険があった」と判断することはできないとして、展示会の再開に向けた協議の場を持つように回答期限を決め要請しました。

その後、興梠氏より「協議に応じる」旨の連絡があり、市役所内で協議の場を持ちました。徳永文化振興室長は、全館休館と使用停止に至る経緯について、「『不審な郵便物』というところまでしか警察からは聞いていない」、「現在に至るまで警察からは公式発表はない」、「報道以上の情報は知らない」、「警察が捜査中で名古屋市としては状況がいまいち把握できていない」、「昨日の事案の危険性の評価ができていないのが実情」、「状況把握、危険性の評価ができていない中で、何をすればよいか分からない」と驚くべき発言がありました。更に、機動隊の24時間の警備が始まっている状況で、危険回避のためにどんな対策を立てればいいのか判断ができないとの発言もありました。

つまり、警察から正確な情報が提供されない状況で「不審な郵便物」が「破裂した」について「危険性を評価できない」といいながら、今後、何が起きるか予測がつかなく安全確保がされないので休館と使用停止の措置を取ったということです。私たちは、漫然と事態を待つのではなく、警察に対してどのような状態になれば安全確保がされるのか、具体的に問い合わせ、再開のための準備を進めるべきと再度要請し、翌日も時間を指定して進行状況を報告するよう要請しました。

⑤中警察署に「抗議と要請書」の提出

名古屋市文化振興室との交渉で、警察から正確な情報が届かないという言質がとれたため、私たちは7月10日に、中警察署に「抗議と要請書」を提出しました。7月8日の「不審な郵便物」を警察官立ち合いの下で施設の職員に、施設内で漫然と開けさせたこと、事件発生後、名古屋市文化振興室に対して正確な情報提供を行っていないこと、当事者であるつなげる会に対して情報提供が一切ないこと、郵便物破裂事件の速やかな捜査を行い、犯人を検挙すること、展覧会の再開を目的に関係機関と協議をし、再開の実現に向けて、警備の強化を含めて全力で努力することを申し入れました。

名古屋市文化振興室の言い分は、警察から事件についても正確な情報がない、安全確保のための情報もなく、市としてどのように対応をしていいのかわからないということであったが、破裂事件の捜査とは別に、施設の安全管理について当事者の文化振興室は積極的に警察から情報を得るべきであるし、警察も再開に向けて警備について対応するべきというのが私たちの要請です。当日は土曜日ということもあって、対応に出たのは当直の担当者でしたが、私たちの要請からほどなくして、中警察署から「名古屋市が再開をするというのであれば、警察は協議に参加する」という連絡がありました。

⑥再び交渉

この連絡を受けて、午後3時ごろ私たちはすぐに市民ギャラリー栄に赴き、文化振興事業団の宮田主幹に、警察からの内容を伝え、文化振興室に連絡を取り早急に協議の場を設けるように要請しました。文化振興室に対しても直接このことを伝え、速やかに協議の場を設けるよう要請しました。3時間半も待たされ、夜6時過ぎにようやく「破裂事件」が起きて安全確保ができていないはずの、市民ギャラリー栄の7階で交渉は始まりました。

私たちは、事件は過去に起きたもので、現在の状況で安全確保がされているかどうかは別の問題である。休館措置を継続するのは、今後、犯罪発生のおそれの問題で、脅迫など差し迫った危険がないなら、速やかに警備の要請をして、主催者も交えた再開のための協議の場を早急に設けるべき、と訴えました。

徳永室長は、「実力行使があったこと、24時間警備態勢をとられていて現時点ではその警備体制は継続されていること、警備を解くための変化要因がないこと」を繰り返し、再開に向けての協議をするとは明言しませんでしたが、最後は、「言い分、気持ちは重く受け止めるが、組織で動いている。明日（11日）朝に連絡する」という返答で交渉を終えました。

11日の最終日、半日でも再開したいという想いで交渉を続けました。明確な回答はなかったものの、淡い期待をもって翌日の準備を始めました。

⑦再開できず

最終日の11日には朝8時半に「つなげる会」事務局は弁護士事務所に集合し、午後からの再開に備えて、11時には数人のボランティアの方にも集合してもらい、文化振興室からの返事を待ちました。9時、徳永室長より10時から対応を協議する旨連絡が入り、回答期限のデッドラインを11時半と通告して、つなげる会のメンバーと弁護士の数人が市役所の文化振興室前で待機しました。しかし、11時半に、徳永室長より名古屋市として休館は解除しない旨の「本市の考え」という文章での通告があり、期間中の再開は叶いませんでした。

「本市の考え」には、3日目に郵便物破裂事案が発生し、最高裁の判例で示された「公共の安全が損なわれる明らかな差し迫った危機が発生」「事案が解決していなく、警察が最上級の警備態勢を敷いていることは、最高裁判例が示す事情があると認識している」「市としても警察としてもこれ以上の警備強化は困難」など理由を示していました。私たちは、到底納得できる内容ではなく、午後からは抗議の街頭宣伝を行い、抗議声明を出しました。

展示会中止に抗議する街頭行動（2021 年 7 月）

名古屋市は暴力に屈し、表現の自由を手放した

以上、経過を見てきたように、7月8日の朝の、全館封鎖と退避命令から、「つなげる会」は期間内の再開を目指して、名古屋市文化振興事業団、文化振興室、警察と再開のための協議を求め続けてきましたが、結局、名古屋市は卑劣な暴力に屈し、憲法21条で定められている「表現の自由」を放棄してしまいました。公共施設が「表現の自由」を保証することは市民の「表現の自由」を保証することであり、行政の責務として守らなければならないものです。

今回、名古屋市は、「不審な郵便物」の「破裂」という実行行為があり、安全性が担保されないと主張していますが、宮田館長は市民ギャラリー栄に届いた郵便物が不審なものであると警察に相談しています。にも拘わらず、漫然と何の警戒もなく施設内で職員（館長）に開封させるというのは警察の怠慢・失態以外何ものでもありません。

また、「破裂事件」があった当日から、安全が確保されていない市民ギャラリー栄の展示室内で、私たちは名古屋市と協議を重ねています。ビルの他の施設も通常通り開いています。どこが危険なのでしょうか。

施設利用に関する制限は、1995年の泉佐野市市民会館事件や、1996年の上尾市福祉会館事件の最高裁判決で「警察の警備をもってしても生命、身体に対する差し迫った明らかな危険がない場合、施設利用を禁ずることは憲法違反である」と判断しています。今回、名古屋市は休館後、警察に対して再開に向けて警備の依頼を主体的には一切していません。はじめから休館の期間を11日までと決め、再開の意思はなかったと言わざるを得ません。

大阪での「表現の不自由展かんさい」は、大阪府が「施設利用承認の取り消し」を行い、実行委員会は「処

分の取り消し」を求めて大阪地裁に仮処分の申請をし、7月9日、愛知での事件が起こったにもかかわらず、「警察の適切な警備等によってもなお混乱を防止することができないなど特別な事情があるとは言えない」と使用を認める決定をしました。

その後の大阪府の即時抗告による高裁での抗告棄却、さらに大阪府の最高裁への特別抗告に対しても最高裁は棄却の判断をしています。名古屋での「破裂事件」があったにもかかわらず、高裁、最高裁と棄却の判断をした意義は大きく、この判決に照らしても、名古屋市が「実力行使」があり、その捜査が継続中という理由で、施設の安全性が確保されていないと主張することは法的にも誤っています。

許されない河村名古屋市長の対応

河村市長は、7月8日、午後3時に記者会見を開き、休館と施設利用の停止を発表しました。この中で「市民の安全を守るのが市長の絶対的な義務」と言い、休館と利用停止を正当化し、主催者（つなげる会）が、再開を希望した場合どうかという記者の質問に、警察が捜査をしているので、期間中の再開がないことを暗に示唆しています。

河村市長は、南京大虐殺はなかったと否定し、「平和の少女像」についても「日本人の心を踏みにじるもの」と言い、日本軍慰安婦問題について、「朝日新聞の『誤報』によって旧日本軍により、慰安婦が『強制連行された』などという、歴史的な事実・根拠に基づかない報道が、全世界に向け、大々的に、何度もくりかえし発信されたために、あたかも、慰安婦の『強制連行』が歴史的事実であるかのごとくに誤解され、日本国民、及び韓国国民のみならず、全世界にわたって多くの人々に信じ込まれてしまいました。そして、いわゆる従軍慰安婦像は、特に韓国の方々は旧日本軍による戦争被害の象徴的存在として、反日感情をかき立てる目的で」

とまでいう根っからのヘイトを煽る歴史改ざん主義者です。

また、分担金不払いの裁判の中で、不自由展で展示された大浦さんの「遠近を抱えて」「遠近を抱えてpart2」について「ハラスメントとも言うべき政治的に偏った作品、日本国民一般の社会常識的な理解として、『日本の象徴』に対する激しい憎念に満ちた攻撃・暴力・破壊をモチーフとし、人間の尊厳をも冒《おか》す内容の作品」と作品を歪曲して評価しています。

今回の展示は、公金を使っていないから会場を貸したと言っていますが、作品に対する評価が変わるはずもなく、河村市長にとって、このような展示会が再び名古屋で開催されるということは許しがたいことであったに違いありません。

大阪の吉村洋文知事が「不自由展かんさい」の展示について、いたずらに危険性を煽り、展示の中止にむけ策を弄したのは、2018年サンフランシスコに建立された平和の少女像に対して、「不確かで一方的な主張を歴史的事実として記した」碑文だと非難し、姉妹都市提携を解消していることからわかるように、河村市長と同じ歴史観を持っているからに他なりません。

私たちは、このような河村たかし名古屋市長をはじめとする公権力が、あからさまに歴史を歪曲することは許されないと考えます。いまだに十分な賠償や謝罪がされていない被害女性の名誉や人権が回復されなければならないと思います。展覧会の再開は、日本社会に蔓延する歴史改ざん主義に対抗し、暴力に屈することなく、表現の自由を守り、歴史の事実を記憶し、継承していくための一つの実践だとして、「失われた4日間を取り戻す」決意をしました。

2022年「私たちの『表現の不自由展・その後』」再開までの経過

高橋良平

中止事件直後から再開に向け活動

2021年7月12日、再開がかなわず中止となってしまった翌日、私たちは名古屋市文化振興室に再開協議の要請を行いました。その際の回答は返答の有無を含めて検討するというものでした。展覧会会場の市民ギャラリー栄は、その日は通常の休館日でした。前日まで待機していた警察車両は姿を消し、午後には市民ギャラリー栄が翌日から業務を再開すると公表されました。再開をもとめる交渉のなかで名古屋市側は警察も重点的に警備している危険な状況であり、市民ギャラリー栄全体が休館しているので再開は無理との主張でしたが、私たちの開催期間が終了したら、あっさりと警察はいなくなっていました。再開が困難である状況自体がすでにないことは明白でした。

7月15日、名古屋市文化振興室に電話で12日に要請した再開協議についての検討状況を確認しました。現状は警察の捜査もあり協議に応じる予定もない、とのことでした。私たちはこの回答におおいに失望しました。そもそも中止の理由も明白ではないなかで、中止状況が今後も続き再開ができないのではないかと危惧しました。

7月16日、「表現の不自由展かんさい」の施設利用に関する最高裁判決が出されました。裁判長は「安全に配慮しているのに、実力で阻もうとする人がいるからといって公共施設の利用を拒めば憲法の『表現の自由』を侵害する」と述べ、大阪府による施設利用の中止決定を退けた大阪高裁判決を支持しました。

7月18日、「卑劣な脅迫許さない！　名古屋市の展示中止に抗議し、再開を求める7・18大街頭行動」を栄の噴水広場で開催しました。不審な郵便物の郵送という卑劣な脅迫行為を批判するとともに、再開に向けての取り組みを放棄した名古屋市に対しても抗議し、今後の再開を求める趣旨の集会でした。ジャーナリストの金平茂紀氏や報道写真家の豊田直巳氏も参加しアピールをしてくださり、わたしたちの会からは、この間の経過を報告しました。

7月19日、河村たかし名古屋市長が定例記者会見のなかで「実際に危ないことが起きた。そうした尋常じゃない場合は、最高裁でも（開催を）ストップしてもいいという判例がある」などと主張し中止を正当化しました。また捜査の段階であるので再開は厳しいのではないかとも述べました。

7月21日、私たちは今後どうするべきかを会議で話し合いました。中止されてしまったことに対して深い憤りを抱えていた一方、「見たかったのに！」という思いを抱えたままの人々に対して、展覧会をふたたび開催することで応える必要性も感じていました。しかし頑なな名古屋市の対応は私たちの心も固くしました。名古屋市側の対応と態度には、文化行政が暴力に屈してしまったことへの主体的な意思も態度も感じられませんでした。一刻も早く展覧会を再開させることが、名古屋市の対応として当たり前であるにもかかわらず、この対応では今後の展開は厳しいものであることを予感させました。会議では、一方的な中止に対して損害賠償請求を求めるべき、再開を求めるにしても現状では厳しいから期限を設けるべき、損害賠償請求と再開を求めるといった意見が出され、弁護士に相談しようということになりました。

中止の際に協力してくれた弁護士は、その後も手弁当で継続して主体的に動いてくれていました。そして、その弁護士と会の共同代表でもある中谷雄二弁護士を中心に弁護団を結成し、再開に向けての協議も「つなげる会」と両輪で取り組んでくれました。ただ再開できるのか、中止の不当性と損害をどうするのか、など課題は盛りだくさんで不安も大きくありました。

弁護団との話し合いで、まずは中止となった4日間を再開させることを優先することになりました。弁護団とともに名古屋市に対して再開のための協議を求める要請書を作成し、記者会見を開き世論に訴えることにしました。

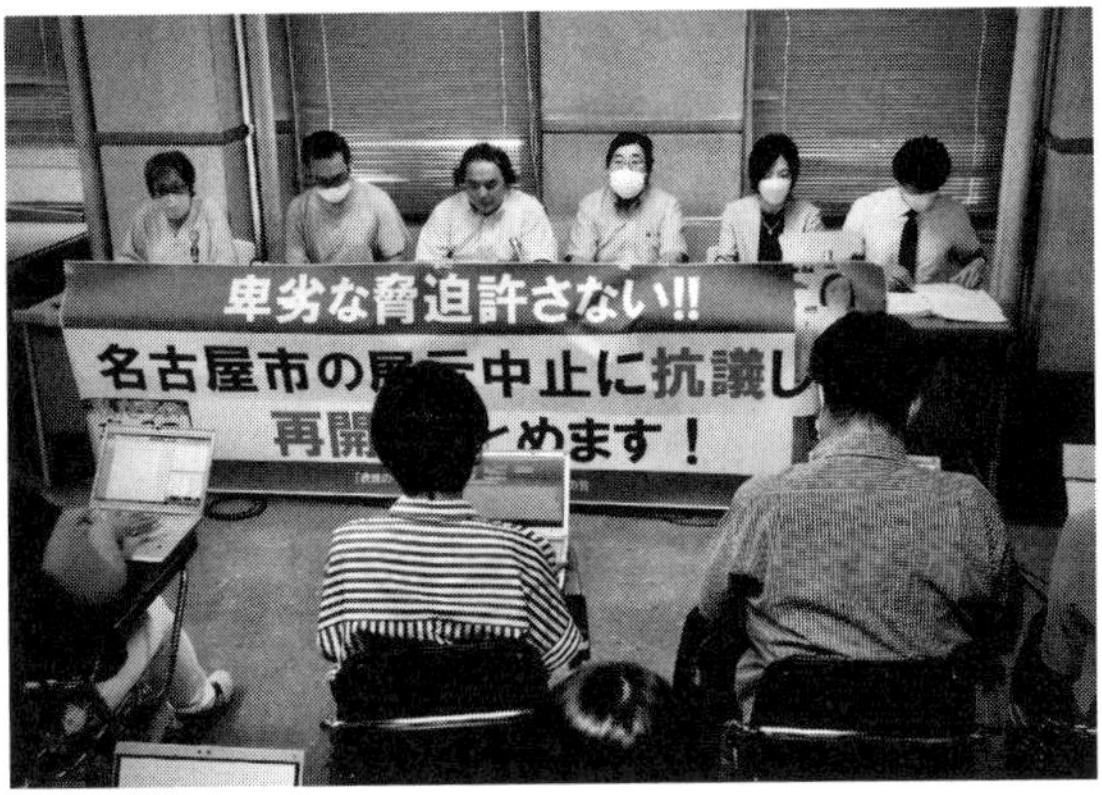

再開求める記者会見（2021 年）

9月6日に名古屋市に「①臨時休館決定・使用停止処分、及び、休館・使用停止継続が最高裁判例に違反すること、②名古屋市は表現の自由への卑劣な脅迫行為に加担している状態にあること、③奪われた表現の自由を回復させる措置を求める」という内容で再開のための協議を行うように要請書を提出し、回答期限は9月21日としました。

協議始まる——第1回協議

9月21日、名古屋市から再開のための協議に応じるという回答が出されました。進め方としては、きちんと議事録を取り、双方が確認をして交渉を進めるよう強く働きかけ、名古屋市もそれに応じました。また、交渉は、コロナ禍で参加人数を制限されましたが、弁護団、「つなげる会」それぞれ会議で課題を検討し、さらに弁護団との合同会議で意見をすり合わせてすすめるということで、参加できないメンバーにも情報を共有して意見を求め、交渉に臨むこととしました。

10月19日、第1回の協議を行いました。協議にあたって「つなげる会」としては、「①「再開させる」ということを確認する。②再開の内容については、基本的には前回同様に開催することを確認する。③一方的に判断するのではなく常に主催者と連絡を取ることを確約する」ことを目的としました。

交渉で、名古屋市は中止を決定した際と状況は変化していないと説明しましたが、「表現の不自由展かんさい」の施設利用をめぐる最高裁の判例で、地方自治体の公共施設における表現の自由を保障する義務について地方自治体こそ「表現の自由」を守る先頭に立たなければならないという趣旨が書かれており、名古屋市もそれに基づいて再開をすると約束しました。

次の手順として、市民ギャラリー栄のホームページで空き状況が確認できないようになっていることを解除し（市民ギャラリー栄のHPからの予約ができないようになっていた）、つなげる会が開催期間の日程を決め仮申込みをして、その後名古屋市から警察に警備の依頼やビル管理者（建物の構造上協議が必要）も同席の上で協議を進めるということになりました。

開催期間の決定

協議後、つなげる会では2022年7月12日～17日の仮予約を申し込みました。ところが、事業団から、この期間は同ビルで3回目のワクチン接種期間中なので許可できない可能性が高いと連絡がありました。私たちは、施設を予約する際、前回の教訓から同じ階の他の部屋をすべて予約するということを決めていました。ワンフロア全部空いている期間は限られており、またワクチン接種会場は階が違うのに許可しないのはおかしいと主張しましたが、私たちも開催に向けての準備期間が必要だし他地域との日程調整もあり譲歩し開催期間は8月22日から26日と仮申し込みをしました。そもそも、コロナワクチンの接種会場は2021年の開催時にも会場になっており、コロナを奇禍に開催を渋っているとしか思えませんでした。

課題の整理と利用許可書

開催期間が決定し、次は具体的な開催準備について協議していくことになりました。その際、どのような課題があるのかを整理する必要があると考えました。そしてこれについて弁護団から、名古屋市と文化振興事業団に自ら課題を設定してもらおうという提案があり、名古屋市と事業団に文書で課題についての提示を求めました。そして、第3回協議を前に、事業団から「催事の安全な開催に向けて検討課題等について」という文書がＦＡＸ（！）で届きました。

しかもその中身は、ビル共用部分における安全確保や警備、抗議街宣や抗議電話などへの対応、不審郵便物等への対応などを「つなげる会」としてどう対応するのかを問う内容でした。本来名古屋市文化振興事業団や名古屋市文化振興室が考える課題なのに向こうの解決に対する提案は一切書かれていませんでした。

そもそも2021年の中止自体納得のいかないものであり、再発防止の取り組みは基本的に名古屋市と事業団が行うべきものです。また2021年の開催について、2日目までは問題なく開催できたという評価を基礎に2022年の開催について協議することが双方にとっての基礎であると認識していましたが、事業団の姿勢はゼロベースからの議論という姿勢でした。

また、この時点で12月に仮申し込みをしたにもかかわらず利用許可書がまだ出ていなかったことから、速やかに利用許可書は条件を付けずに出すこと、検討課題などについては、2021年7月開催時の交渉の実績をふまえての交渉内容にすることという文書を交渉直前に提出しました。

私たちは利用許可証をできるだけ早く出させることを大切にしました。それは再開のための条件と利用許可は別個のものであることを明確にするためでした。施設利用細則には、利用に際して必要な条件を付けることができるという項目がありますが、それは地方自治法に定められた差別的な取り扱いに該当しない程度である必要があります。端的に言えば、私たち利用者に求められていることは、利用細則を遵守すること、料金をしっかり支払うことなど、当たり前の最低限の条件でしかありません。2021年の開催の際もまずは条件を整備してから利用許可証を出すと主張する事業団に対して、それは不当で、差別的な取り扱いにあたること、また行政手続きの速やかな実行を求める行政手続法の趣旨に反することを弁護士の協力のもと主張して何とか許可証を出させた実績がありました。今回もコロナ過を奇禍に条件を整備してからと事業団は主張しましたが、昨年の「実績」を踏まえ早期に利用許可証を出させることを目標にしました。当初は開催の具体的条件が明らかになった上で出すと昨年の「実績」にも懲りずに事業団側は主張してきましたが、こちらがその不当性を指摘し3回目の交渉で利用許可証を出すことが可能となりました。

開催に向けての課題は行政が市民に求める範囲を明らかに逸脱していました。地方自治法では、施設利用に際して差別をしてはならない、という規定がありますが、それに照らしても名古屋市の対応は他の利用者と比較して明らかに差別的でした。

具体的な課題の検討に

名古屋市と事業団の姿勢に納得いかない気持ちを抱えつつ、私たちは事業団から出された「課題」への対応を検討しました。

一つに開催日当日の混雑を避けるために事前の予約を受け付けることが検討されインターネットの予約、FAXによる予約を受け付けることに決まりました。しかし、インターネットを活用できない市民も多数いる現実のなかで、多くの批判があり、開催日当日はサポートを行う体制を作ることで、直接会場に来られた市民やインターネットを活用できない市民へのサポートを行いました。

またこれ以外にも会場内に警備会社の警備員を置いてほしい、金属探知機と持ち物検査要員を置いてほしい、などの「要請」がありましたが、施設管理権を持たない一介の利用者が入場者に対して持ち物検査を行うことは権限の上でも、トラブル発生時の対応においても問題があることは明白でした。一介の利用者である市民への過剰な負担の「要請」は、市民の表現する権利を萎縮させかねません。私たちはそのような観点からも過剰な「要請」は丁寧にお断りしました。

最も重要な課題だったのが、昨年と同様の事態が発生した際にも中止させないことでした。この点については弁護団の取り組みが功を奏しました。事業団とのあいだで緊急時の連携について文書化し、そのなかで緊急事態が発生した場合には主催者に情報を共有し、再開のための協議を行うことを明記することができ、懸案事項の一つが大きく前進しました。

これらの他にも、多くの課題や議題が議論されました。さまざまな「要請」などへの対応に苦労した一方、2021年の開催実績と「不自由展かんさい」の判例から、自分たちが果たすべき役割と行政が果たすべき役割についての分担は、2021年の交渉時よりハッキリして交渉に臨むことができました。

協議の遅さに途中で開催に間に合うか不安も感じましたが、結果的には緊急時の連携についての文書確認もでき、昨年より一歩進んだ開催準備をすることができました。

交渉を振り返って

私たちは日本国憲法で定められた表現の自由、また表現の自由における行政の役割について述べた最高裁判例、そして地方自治法で定められた市民の権利を元に交渉を進め、事業団からの「過剰」な「要請」に対応してきました。その過剰性を協議のなかで薄めてきたことは成果であったと思います。

しかし、それでも再開に際して私たちは多くの負担を負いました。また弁護団の強力な協力があっての再開の交渉でした。このような展覧会の開催の仕方を一般化していいのかどうか、「つなげる会」の中でも賛否がありました。

過剰な「要請」の背景には「私たちの『表現の不自由展・その後』」をどう捉えるのかという問題もあったと考えます。

本来は市民の表現する権利と、行政がそれをしっかりと保障することが問われていたにも関わらずマスメディアも行政も「安全な開催への懸念」を前面化していました。安全な開催は非常に重要ですが、それと同時に、その安全な開催が表現の自由を制約することになってはなりません。最高裁判例は、「表現の自由は警察権力を導入してでも守られなければならない高度に保障されるべき権利であり、かつその権利は行政機関が率先して保障しなければならない」と述べています。私たちの再開のための協議は、最高裁判例を実地で実現する過程だったのではないでしょうか。そしてその過程はまだ続いていると考えます。

取り戻した失われた4日間
——2022年「私たちの『表現の不自由展・その後』」

山本みはぎ

2021年7月開催の、「私たちの『表現の不自由展・その後』」が、不審な郵便物の破裂事件によって中止されたことから、「失われた4日間を取り戻す」と、1年間の交渉を経て、2022年8月25日から28日まで「私たちの『表現の不自由展・その後』」を開催しました。開催に尽力をしてくださった弁護団・ボランティアや他地域の皆さんとの連帯の成果です。私たちが、この展示で示したかった「表現の自由」「歴史の真実」の問題の解決までにはまだ長い努力が必要ですが、まずは、名古屋の展覧会がどのように行われたのか、今後の教訓として報告します。

概要

展覧会はすでに22日に設営を完了し、24日にはマスコミに向けての内覧会を開催して開幕に臨みました。今回は、観覧時間は1時間、人数は1回50人の入替制で午前10時から午後7時までの1日9回。申し込みはネットでの事前予約制ということにしました。ただ、ネット環境にない人や苦手な方のために、事前予約でも

再再開された「不自由展」会場（2022年8月）

メール・FAXによる申し込みも受け付けました。メール・FAXの申し込みは、申し込みがあった後、同意書の提出と入金確認をして、承諾・日程の連絡をするという手間のかかる作業でした。申し込みは予想より少なかったですが、一定の効果があったと思います。

マスコミへの公開は1カ月前にしましたが、チケットはなかなか普及できず、開催数日前に急きょ当日の電話受付でも受けることにしました。すでにボランティアの配置なども決めていましたが、地下受付でこの作業に必要な要員の配置や申し込みの電話対応など初日から慌ただしい作業になりました。担当者は終日電話対応に追われましたが、幸い、応援に駆けつけてくださった東京実行委員会の方など、多くの方に助けられ、乗り切ることができました。

事業団との事前の交渉の中で受付での混雑回避のため（この時、地下にある中区役所ホールはコロナワクチンの接種会場になっていました）事前予約制にするとなっていたのですが、当日受付も了承を得て行いました。慌ただしい中の対応でしたが、結果、当日受付で申し込んだ人は１８７人もいました。中には開催を知らず、通りすがりで申し込んだ方もいました。最終的には4日間で１４００人もの方が展示を見てくださいました。

8階の開場入り口は事業団が配置した手荷物検査と金属探知機を通って会場内に入るということとなりました。建物の地下にある中区役所ホールの入り口を第1受付にして、受付を済ませ、指定のエレベーターで8階まで上がり、８階のエレベーターホールで第１受付での受付済みの確認をして、金属探知機や手荷物検査を受けて会場入りをするという手順です。エレベーターは３台ありましたが、１台を専用にして、他の２台のエレベーターは８階には行けないよう、エレベーターの案内をしました。

昨年、展示会場のフロアの一部しか借りなかったため、期間中に「トリカエナハーレ」が場所を借りてしまったという経験から、費用はかさみましたが、今回はワンフロアの全室を貸し切りました。八つある展示室のうち、一つは「平和の少女像」などの作品の展示場に、もう一つは「壁をこえて」と題して、２０１９年８月から本展示実現までの私たちの活動の軌跡を展示しました。その他、作家とのトークイベントと「不自由を体験するコーナー」の企画の部屋、観覧者の待機室、ボランティアの休憩室と結果的には有効に使うことができました。

作品を見てもらうということが第一の目的でしたが、２０１９年のあいちトリエンナーレの中止事件の時に、作家の方たちは、サナトリウム（アーティスト・ラン・スペース）や署名などそれぞれの形で、不自由展の再開に向けて努力をされましたが、私たち市民との繋がりは一部の作家にとどまりました。今回の企画で作家が何を思い作品を作成し、「表現の自由」や「歴史改ざん」の問題をどう考えているのかということを、トークイベントを通して観覧者の方々と考えてみたいと企画しました。また、体験企画として「表現の不自由

来場者からのメッセージ

を感じるコーナー」を設けたことは、「見る」という一方通行ではなく「対話」の場面になりました。
観覧者の方からのアンケートは、448人の方が提出してくださいました。中には批判的なものもありましたが、多くの方が展示を見た率直な感想を寄せてくださいました。また、ポストイットにひとことメッセージを書くコーナーも設けました。
1日の展示の終了後、全員で30分ほどの反省会を設け、各部署での反省点などを出し合いました。その後、それをふまえて、事業団の方たちとのミーティングを行い、改善点などを出し合って翌日に備えました。

ボランティア・弁護団の協力など

今回も、4日間の運営のためにボランティアに協力いただきました。事前のボランティア登録者数は、71名（「つなげる会」のメンバー16名含む）。他に、東京実行委員会の方や京都実行委員会の方が参加してくださり、4日間で延べ381名もの方に協力していただきました。このほかに、展示準備には「美術集団8月」の方たちが協力してくださいました。

1階の公開空地での案内は炎天下で大変な作業でしたが、交代で休憩を取るなどして乗りきりました。地下受付では事前予約の受付と急きょ実施した当日受付の方への対応、マスコミ受付と煩雑になり初日は多少

展示会場

の混乱がありましたが、無事乗りきりました。その他、地下受付からエレベーターへの誘導、8階のエレベーターホールでの案内、8階での受付、展示場内での見守り等々の作業をこなすなど、展覧会はボランティアの協力なしでは開催できませんでした。

また、今回は弁護団の方も全日全面的な協力体制を取ってくださいました。警備の全体方針や各箇所での具体的な対応についてなどの「弁護士の対応マニュアル」を作成し、当日に臨んでくださいました。登録弁護士31名で、4日間で延べ50人の弁護士が会場各所での見守りなどをしてくださいました。

また、文化振興事業団の職員や警備の方などが共有部分の地下1階の受付付近から8階の会場まで人員を配置し、協力体制を取ってくださいました。事業団職員の方や警備の方も非常に協力的で、交渉過程では厳しいやり取りもありましたが、現場で動く人たちは「展覧会を成功させたい」という私たちの意気込みと思いが共有されていたのではないかと思います。

会場・周辺の警備

8月25日の早朝から、会場周辺交差点では警察官が規制をするための蛇腹の柵の設置作業をしていました。期間中の警察の警備は、会場を囲む南北と東西の2本の道を、開催に反対する右翼の街宣車に対しては、通さないように規制をしていました。ハンドマイクを持った何人かは、会場から一区画離れたところで警察の規制を受けながら街宣をしていました。それでも、規制線から離れたところで大音量で街宣を行っていたとのことで、観覧者の中には、ものものしい警備に驚いたという人もいました。

展示会入り口には、事業団が手配した警備会社が手荷物検査と金属探知機を設置し、来場者に対応をしました。事前の交渉で「つなげる会」としては、開かれた展示にしたいということで金属探知機や手荷物検査は実施しないと決めていました。ただし、事業団や文化振興事業団が独自の判断で実施するのは妨げないとしました。本来、このような文化・芸術の展示に対して、ものものしい検査をしなければ見られないという状況が異様なことです。しかし一方、ヘイトスピーチやヘイトクライムまで起きている社会状況の中で、公共施設が安全を確保するためには必要なことでもある、というジレンマのなかでの設置でした。

マスコミ対応

2021年の展覧会で、開催初日の開場前の30分でマスコミに公開したため、時間もなく会場が混乱したことから、今回は1日前にマスコミ向けの内覧会を開催しました。開会初日にも大勢のマスコミが詰めかけ、初日の模様を報道しました。特に、NHKは事前に密着取材をしてニュースで特集を作りたいと申し出があったので、山本と高橋で事前にNHKまで出向き、この間の経過や私たちがこの企画を開催する目的や意義なども説明しました。事前の会議にまで取材に来て、開催期間中も張り付きで取材をしていました。

ところが、ニュースの特集番組を見たメンバーの中から失望や怒り、疑問の声があがりました。番組は、期間中に開催した作家とのオンライントークイベントの模様を紹介する際に、会場に参加していた開催に反対する人物の映像を流したり、大阪から参加したという同じく開催に疑問を持っている女性を2度も登場させるなど、「不自由展の開催にこんなに反対している人がいるんだ」という印象を持たれかねない内容で、私たちがなぜこの展覧会を開いたかという意義や主旨などがほとんど反映されず、また作品についても言及されていませんでした。

この件について、つなげる会のメンバーで映像について、意見交換をしてNHKのディレクターとの話し合いの場を持つことになりました（番組への批判意見はメンバー全員ではない）。NHKとの意見交換で、担当ディレクターは「『表現の自由』を焦点にしたかった。2019年にトリエンナーレの『表現の不自由展・その後』が中止になってから3年後の『表現の自由』の現在地を伝えたかったので、（大阪の）最高裁の判例は絶対に入れたかった。視聴者からはなぜ対立が起きるのかの解説をしてほしかったという要望もあった」との釈明がありました。

NHKの番組の問題は、NHKの取材の仕方、番組の構成の問題もありましたが、「つなげる会」のマスコミ対応の不備を露呈したことでもありました。昨年の教訓から、マスコミ向けの内覧会を開き混乱回避をしたものの、期間中の対応についてはほとんどルールを決めていませんでした。2日目に河村市長宅などに不審物の郵送があったというときも、マスコミの取材が集中しましたが、不測の事態の時のマスコミ対策については弁護団とも事前に詰めていませんでした。また産経新聞から、韓国の「慰安婦法廃止国民行動」という団体が開催の中止を求めて記者会見や抗議行動を行っていることについてのコメントを求められたこともありました。実際に、団体名も、記者会見をしたということも知らず、コメントのしようがありませんでしたが、企画に好意的ではない取材もありうるということまで認識して準備を進める必要があると思いました。

マスコミの報道は、良くも悪くも世論に対する影響力は大です。さまざまな場面を想定しての対応を準備しておくこと、そしてこれは一朝一夕にできることではないですが、個々の記者との信頼関係を作っておくことが大事だということが教訓として残りました。

不審物の郵送について

開催2日目の26日、名古屋市役所と河村たかし名古屋市長の事務所、会場である文化振興事業団にリード線のついた爆竹とボタン電池が入った「不審物」が送られてきました。文化振興事業団への郵便物や宅急便については、前回の教訓から、郵便物は局留めにして主催者が取りに行くことにし、宅配便については事前に届くことを知らせたもの以外は返送するということにしていました。

私たちには、現場にいた記者によってこのことを知らされましたが、この時点でどこに何が、何を目的に送られてきたのかの正確な情報はありませんでした。私たちは、前回の「不審な郵便物の破裂事件」を教訓に、不測の事態があっても絶対に一方的な中止の決定はさせないということで、交渉過程で「不測の事態の対処の仕方」を、ビル管理者が管理する地下受付部分や、事業団が管理する8階の共用部分、主催者が責任を持つ展示室とそれぞれ管理権が違うところで、責任の所在と対処の仕方を文章で交わしていました。事業団に送られてきた不審な郵便物は、マニュアル通りの対処をしたようです。

同日午後に河村たかし名古屋市長は送付された郵便物について「企画展の中止を求める狙いがある」と記者会見をしましたが、展示は平穏に開催されました。前回と同様、爆発物を郵送するという暴力で開催を阻止しようとする卑劣な行為は絶対に許されません。妨害に対しては、断固対処するという姿勢を明確にし具体化することが大切だと思います。

他地域との連携

今回の開催は、東京・大阪・神戸・京都の実行委員会との連携なしでは開催できませんでした。行政との交渉なども各自治体で対応も違い、それぞれどのように対処するのか経験を交換しながら進めました。行政だけでなく、警察やボランティアにかかわる当日の運営なども、各開催地へ直接出向きノウハウを学び、月1回のオンライン会議で意見交換をしながら進めました。実行委員会とは別に、弁護団も実際に開催場所に出向いたり、各地の弁護団と情報交換をしながら準備を進めました。展覧会開催までの経緯や展示の内容は、各地で違いますが、封印された「表現の自由」を取り戻すこと、歴史改ざん主義やヘイトを許さないという同じ想いがつながり、開催できたと思います。

最後に

開催までに、多くの労力と時間を使い、たくさんの人たちの協力がありました。展覧会の開催は、容易にできるものではありませんが、志を持ち協力すれば実現できます。教訓を活かして、各地で開催されることを願います。

「明日のハナコ」リーディング上映

近田美保子

「表現の自由」とは何か。高校生の演劇にまで妨害圧力が押し寄せた事実を新聞報道で知り、見過ごせないと企画しました。メンバーは「私たちの『表現の不自由展・その後』」の６人が中心になりました。

２０２１年に福井県の高校演劇祭で福井農林高校の演劇部が「明日のハナコ」を上演後、県高校文化連盟が原発や「差別表現」を理由に、映像と脚本の公開禁止を命じました。高校生の素直な疑問、不安、想いの演劇表現に忖度、圧力を加えました。「明日のハナコ」の脚本を執筆した元演劇部顧問が「表現の自由に対する制約だ」と異を唱え、上演実行委員会が結成されていました。この上演を東京のオフィスプロジェクトMの丸尾聡さんが引き受けてくれ、実現しました。

７月16日にイーブルなごやホールで開催。入場料１５００円、演劇部など高校生30人をふくむ１８７人が入場。感想アンケートは56名から寄せられました。「友人、知人に誇れる企画。機会があればまた観たい」（50代）「私たちができる範囲で未来のことを考えようと思った」（10代）

「この運動が多くの地にひろがっていることに感謝と感激」（70代）など、本当に上演してよかったというのが実感です。

元演劇部顧問や、東京のオフィスプロジェクトＭの丸尾聡さんや俳優さんらと懇親会を持ちましたが、演劇上演という企画を通じて、それぞれの志や思いを語り合い、人間的な交流が、なにに代え難い財産となりました。

「私たちの『表現の不自由展・その後』」出展作品の選定について

具志堅邦子

はじめに

言論や表現への制限がかけられた第二次大戦中も空襲警報が鳴り響く中、描きたいものを描き、展覧会を開いた画家たちがいました。「絵があるから生きていられる」と語った画家もいました。公募展で憲兵の検閲を受ける前に厭戦的として仲間の自己検閲を受けて作品を下ろされた画家は、「憲兵に絵のことなんて解りはしないのに」と仲間の臆病に口元を歪めました。

事実、あいちトリエンナーレ2019にはもっと激しく、かつての日本の植民地主義や戦争責任を問うことにつながる作品と感じられるものも少なくはなかったのですが、河村たかし名古屋市長はそれらの作品については何の言及もしていません。今は戦前なのか、戦中なのかと見まがう非民主性、後進性！ 補助金不払いなどによる新たな検閲の形で、「表現の自由」を、公金で縛ろうとしてきました。

2019年のあいちトリエンナーレの一企画「表現の不自由展・その後」は、さまざまな理由から過去に展示不許可となり、撤去された作品の展示によって「表現の自由」について議論するきっかけを作ることを目的として企画されたものです。民主主義の地固めになるはずの時を得た企画に、多くの期待が集まっていたのですが、わずか2日で中止に追い込まれてしまいました。8月3日には美術館前に抗議の人々が集まり、再開を求めて連日スタンディングが行われました。

横断幕には「平和の少女像」が模写され「見たかったのに！」と、見て感じて考える自由を奪われた市民の声が端的に刻まれました。

その後、再開を果たしたものの、期日も短く抽選での入場となったため、多くの人が鑑賞できないまま終わりました。

河村市長が攻撃の対象とした「平和の少女像」を市民に見てもらうことで考えるきっかけを作りたい。長く日本軍性奴隷問題に取り組み、「平和の少女像」の作者や被害者の人生を追い、カメラに収めた安世鴻さんとも繋がりのある市民運動の方々の存在も後押しとなり展覧会の実現にむけて動くことになりました。

河村市長のお膝元でもあるため河村市長の歴史改ざん主義への抵抗も、長年の積み重ねで運動としても鍛えられたものになっていました。

「私たちの『表現の不自由展・その後』」の実現で、「河村歴史改ざん修正主義に抗して歴史の事実を市民と共有し、自国の過ちを真摯に見つめ、二度と同じ過ちを国に侵させてはならない！」との強い思いがありました。

作品展示会場で安世鴻さんの日本軍性奴隷女性の人生を、その写真から深く追体験し、「平和の少女像」の祈りと心を合わせて、国境も差別も「壁を超えて」立ち上がろう！とのメッセージを込めて、作品展と市民運動の活動内容の展示をジョイントしました。


2021年7月6日〜11日「私たちの『表現の不自由展・その後』」

2年越しで準備し実現にこぎつけた「私たちの『表現の不自由展その後』」は、専門の学芸員やキュレーターの力を借りずに、画家や展覧会経験者、主に名古屋の「美術集団8月」に協力を依頼し、自分たちの力で作品の選択や作家との交渉、搬入・展示までを行いました。東京の「不自由展実行委員会」には、作品の取り扱い、搬送の注意点、作品への保険や作家への最大限のリスペクトなどの留意点について重要なご協力をいただきました。また作家の紹介、キャプション、「表現の不自由展」の年表データの使用、「平和の少女像」搬入などでフォローをお願いしました。

展示作品の選択については、一番先に河村市長によって検閲の対象となったキム・ソギョン、キム・ウンソンさんの「平和の少女像」と、日本軍性奴隷女性の人生を撮り続けた安世鴻さんの写真作品「重々 ―中国に残された朝鮮人日本軍『慰安婦』の女性たち」、「重々 ―消せない痕跡　アジアの慰安婦被害女性たち」。河村市長が「平和の少女像」の次にやり玉に挙げたのが大浦信行さんの「遠近を抱えてＰＡＲＴⅡ」であったことから、テーマを「旧日本軍慰安婦問題と天皇制」に絞って河村市長の歴史改ざん主義を鮮明にし、市民が実際の作品を見ることで感じ考える機会を保障しました。

幸運であったのは、安世鴻さんが愛知を拠点に写真家としての活動を展開していたこともあり、作品の多くが愛知に保管されていたため、惜しみなく作品を貸していただくことができたことです。

まず、不自由展の年表に沿って、安世鴻さんが撮影したほかの作家の作品を年表の周りに配置することで、展示拒否の憂き目にあった作品群の一端に触れることを可能にしました。次に大浦信行作品の天皇の写真を配したシルクスクリーンと映像作品を展示しました。この作品は、大浦さん自身の肖像画として「自分から外へ外へと拡散していく自分自身の肖像だろうと思うイマジネーションと、中へ中へと非常に収斂していく求心的な天皇の空洞の部分、そういう天皇と拡散していくイマジネーションとしての自分、求心的な収斂していく天皇のイマジネーション、つくりあげられたイマジネーションとしての天皇と拡散する自分とのせめぎあいの葛藤の中に、一つの空間ができあがるのではないかと思った。それをそのまま提出することで画面の中に自分らしきものが現れるのではないかと思った」と1993年6月の「富山近代美術館問題を考えるシンポジウム」で話しています。画家は絵を作る行為の中で物を考えると言われてもいます。大浦作品は決して声高に天皇制を批判しているわけではなく30年以上も絵の中で天皇について考え続け、自己の内部に同一的に潜む天皇を隠しもせず、またスタイリッシュな立ち姿でありながら空っぽな内部と日本的情念的表層の文化や醜悪な薄皮を被る骸骨がその周縁を虚飾しています。作品は作家の意図を超えたところで時に真実を映し出すものでありま す。大浦映像のセンセーショナルな音響の洗礼を浴び、現代の私たちは日本人としてどのようにその場を行き来するでしょうか。

大浦作品の横には、天皇制のもとで植民地となり朝鮮半島から日本に連れてこられた旧日本軍慰安婦の巨大写真を配置しました。晩年、正気を失った姿で見返るように大浦作品を取り囲む人々に射るようなまなざしが向けられる。なぜこんなにも妖しく美しい命の輝きを写すことができたのか。安世鴻さんの激写です。そこから二つの壁面を、安世鴻作品「中国の重重」「アジアの重重」が埋めていきます。これらの写真に写し取られている女性たちは、戦後長く旧日本軍慰安婦であることを名乗ることもできず、故郷に帰っても心安らぐ環境は得られず、苦難の続く人生であったそうですが、なぜか見るものを勇気づける力を放っています。苦難を生き抜いた生命力への写真家の眼差しによるものかもしれません。

一回りして、入り口の裏面には、世界中の旧日本軍慰安所の地図を配置しました。この地図の展示だけで2名がかかりっきりで5時間を要しました。その地図の前に、静かに「平和の少女像」を置き、準備された隣の椅子に腰掛けて「平和の少女像」と心を合わせ、その上で市民運動へとジョイントされた会場へ「壁を越えて」向かうというストーリーを描きました。

この展覧会も、わずか2日間で不審な郵便物が送られてきたとして中止されました。私たち「つなげる会」は誰一人、現場に立ち会うことも許されず、現物を確認することもできず、中止を通達されました。あいちトリエンナーレに引き続き承知できるものではありません。

2022年8月25日〜28日

前回の失われた4日間を取り戻し、再度、「私たちの『表現の不自由展・その後』」を開催しました。

わずか2日間しか開催できなかった前回の展覧会で気が付いた点を出し合い、若干の修正を加えての展示となりました。今回はキャプションも自前で作り、作品の説明も見栄えを含めて、充実したものになりました。

展覧会に二度足を運ぶ方も想定して、天皇制枠に山下菊二さんの「弾乗りNO. 1」、小泉明郎さんの「空気#19」「空気#20」を新たに展示作品に加え、世代を超えた人々のそれぞれの時代や天皇制への考え方の違いなど、深く問題を問う視点を広げました。

山下さんの「弾乗りNo. 1」は昭和天皇が次々と爆弾を乗り換えて、上昇出世を果たす後に、累々と死体らしきものが積み重なる様子をコミカルにシニカルに描いたものですが、戦時中に上官の虐殺の命令を拒めなかった自身へのアイロニーが込められているようにも思えます。

小泉明郎さんの「空気」シリーズは人々が天皇を意識することなく、空気としてすでに深く受け入れている状況に視点を当て、「空気#19」「空気#20」は、これまでの本人の意識の枠を超えた作品に昇華され、ついに「日本人の肖像」として客体化しています。ここでもアートが作家の意識を超えて真実を描き出す力を持つことを窺い知ることができます。

また、前回は「平和の少女像」の隣に座る人が少なく、参加型の展示に不慣れな様子も見受けられ、どう鑑賞者を「平和の少女像」にいざなうかなど設置位置についても検討されました。どうしても大浦作品の映像から流れる情念的な音響と、天皇の写真を燃やすというセンセーショナルな宣伝が独り歩きして鑑賞者が集中するためパーテーションで仕切り、人数が多いときは入れ替えで対応しました。

「平和の少女像」には撮影の担当を置き、隣に座って写真を撮るという参加型の作品の鑑賞を体験していただきました。

父親が子どもに、「安世鴻さんの慰安婦像をしっかり胸に刻んで、それから少女像に会いに行くと良いのだよ」と説明しているのを見かけました。また右翼で妨害に来たように見えた方が大浦映像を見て涙を拭うしぐさもあり、不思議な光景でした。

ちょうど別会場で作家のオンライントークが開かれており、安世鴻さんのトークを聞いたという方々が複数名、もう一度作品が見たいと飛び込んできたハプニングもありました。

展示会図録より

「平和の少女像」２０１１年
キム・ソギョン、キム・ウンソン
ＦＲＰにアクリル彩色　４５０×６００×１３６０ミリ
（解説）

本作の作品名は《平和の少女像》（正式名称「平和の碑」。「慰安婦像」ではない）。作者は、韓国の彫刻家キム・ソギョン‐キム・ウンソン夫妻で「民衆美術」の流れをくむ。民衆美術とは、１９８０年代の独裁政権に抵抗し展開した韓国独自のもので、以降も不正義に立ち向かう精神は脈々と継承されている。本作は日本軍「慰安婦」被害者の人権と名誉を回復するため在韓日本大使館前で20年続いてきた水曜デモ１０００回を記念し、当事者の意志と女性の人権の闘いを称え継承する追悼碑として市民団体が構想し市民の募金で建てられた。最大の特徴は、観る人と意思疎通できるようにしたこと。台座は低く、椅子に座ると目の高さが少女と同じになる。それは見事に成功し、人々の心を動かす公共美術《パブリックアート》となっ

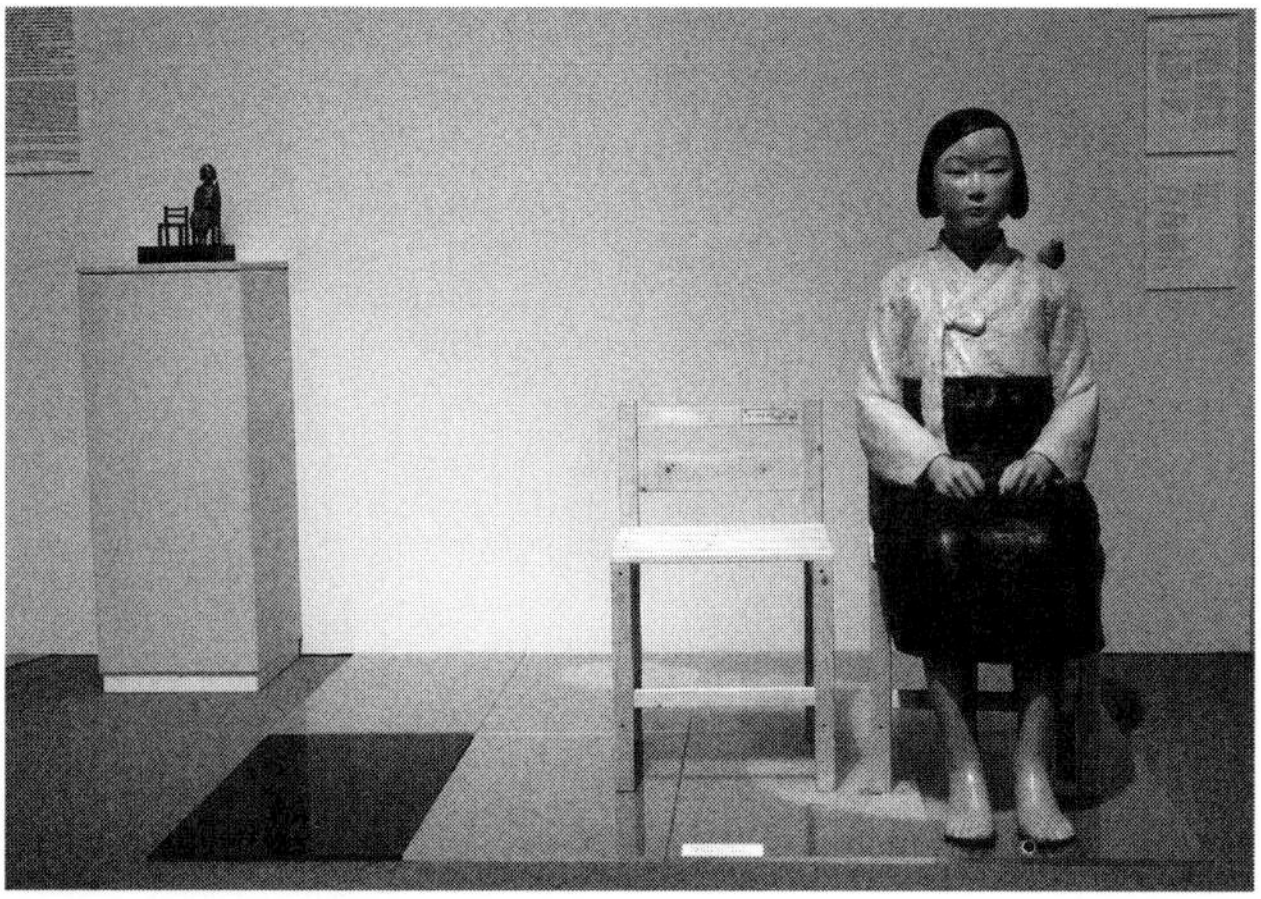

平和の少女像（左はブロンズ像）

た。今や《平和の少女像》は戦争と性暴力をなくすための「記憶闘争」のシンボルとして、韓国各地をはじめ、世界各地に拡散している。

一方日本政府はウィーン条約違反などで在韓日本大使館前からの撤去・移転を求めているが、世界の判例や国際人権法の見地からの異論もあり、議論を呼んでいる。

２０１２年、東京都美術館でのＪＡＡＬＡ国際交流展でミニチュアが展示されたが、同館運営要綱に抵触するとして作家が知らないまま４日目に撤去された。

戦中から現在までの長い歳月、女性の一生の痛みを表すハルモニ《おばあさん》になった影、戦後も故郷に戻れず、戻っても安心して暮らせなかった道のりを表す傷だらけで踵が浮いた足（これは韓国社会をも省察したもの）など本作の細部に宿る意味も重要だ。（岡本有佳）

あなたも作品に参加できます。隣に座ってみてください。手で触れてみてください。一緒に写真を撮ってみてください。平和への意思を広めることを願います。（キム・ソギョン、キム・ウンソン）

「平和の少女像」２０１１年
キム・ソギョン、キム・ウンソン
ブロンズ　横75×縦85×高さ２００ミリ

（解説）

２０１２年８月８月12日から19日、東京都美術館で「第18回ＪＡＡＬＡ国際交流展」に出品されたが、同館運営要綱に抵触するとして作家が知らないまま４日目に撤去された。理由は、同館の運営要綱の中の「特定の政党・宗教を支持し、又はこれに反対する等、政治・宗教活動をするもの」に抵触するというもの。主催者側展が抗議したものの、結果的に撤去という事件が起きた。東京都美術館で撤去された二作品は、10月、原爆の図丸木美術館「今日の反核反戦展2012」で特別展示された。11月、メディア・アーティストの大榎淳らが東京都美術館の壁に作品映像を投影する抗議行動をした。

「遠近を抱えて」

1982年から85年にかけて滞在先のニューヨークで自画像として描いた版画作品群。「富山の美術'86」展で展示され、その後富山県立近代美術館が作品購入するも、同美術館により非公開売却され、展示カタログが焼却されてしまう（1993年）。

作家　大浦信行

「遠近を抱えてpartⅡ」2012年
シルクスクリーン、リトグラフ　770×570ミリ
映像（2019年）

（以下は大浦信行氏自身の解題）

皮膚の毛穴の中にまで染み込んである「内なる天皇」と、想像力を持った自分を重ね合わせる事によって、自己は、益々見えなっていくだろう。そのような自己の内部を空洞化させ、己から最も遠くに投げ出していく作業によってこそ、新たな自己を発見する糸口が見えてくるのではないかと、僕は思った。

そして、天皇の空洞化された内部へ内部へと、求心的に向かう人々のイマジネーションと、外へ外へと拡散し続ける僕の肖像としてのイマジネーション。この相反する二つのエネルギーの拮抗によって、そこに新たなもう一つの空間が生まれるだろう。

その新たな空間の誕生によって、今まで事明の事としてあった「生者の歴史」や「大文字で書かれた歴史」は、次第にその体系を解かれ、打ち捨てられたものとして、終焉に向かっておだやかな寝息を立てるのだ。

それに変わってもう一つの「血の色をした歴史」が、云ってみれば「死者の歴史」が、死の根源への希求と共に忽然と立ち表われてくる。

打ち捨てられ、周縁に追いやられた果てに忘れ去られてしまった歴史の断片の一つ一つを拾い集めながら、それらが自己分裂を起こしてさ迷う時、そこに新たな「星座」が生まれ出ようとする。だから、「燃やす」行為は、新たな自己を星座に発見する旅への祈りであり、昇華でもあったのだ。

その行為を僕は、死者としての19歳の従軍看護婦に託したのだ。

遠近を抱えて part II

遠近を抱えて

「重重―中国に残された朝鮮人日本軍「慰安婦」の女性たち」2012年
作家　安世鴻
韓紙にピグメントプリント
600×900ミリ・2点　390×490ミリ・6点

（解説）
日本軍「慰安婦」被害者で、1945年戦争が終わっても、朝鮮人として故国に変えることができず、中国の痩せ地に取り残された被害者たちの実状を収めた作品。すでに80歳を超えるおばあさんになった朝鮮人の日本軍「慰安婦」のハルモニたちは、彼女たちのことを忘れずに訪ねてきた写真家・安世鴻にその恨（ハン）のこびりついた思いを溢した。そんなハルモニたちの姿を誠実にありのままカメラにおさめ、彼女たちが伝えたかった苦痛を写真の中に幾重にも重ねて表現した。

「重重―消せない痕跡：アジアの日本軍性奴隷被害者」
2015年
作家　安世鴻
ピグメントプリント
（解説）

重重―中国に残された朝鮮人日本軍「慰安婦」の女性たち

置き去りにされたアジアの日本軍性奴隷制被害女性を撮り続け
て
韓国、東ティモール、インドネシア、フィリピン、東アジアに取材した140名の被害者のうち、50数点を展示。2014年より撮った証言映を公開。

第二次世界大戦下、日本が戦争を起こしたアジア太平洋沿岸地域のどの国においても数多くの女性たちが日本軍によって性暴力を受けた。1996年から韓国、中国、フィリピン、インドネシア、そして東ティモールで約140人のその生存者に出会った。中国内陸部の奥地からインドネシア、そして東ティモール辺境の奥地へと、飛行機や電車で、そして徒歩で訪ね歩き、生きた歴史の真実を垣間見ることができた。

日本軍によって強奪された人間としての人生はもう元に戻すことのできない現実となってしまった。二重通訳を通してもひとつ残らず現れる彼女たちの恨のこびりついた心と荒い息の音が、80年も前の過去のことではなく今でも現在進行形で続いている。

彼女たちは病み、1人では何もできない体のまま歴史の裏道へと消えていく。これ以上、誰かの記憶と涙ではなく、これからはすべての人の記憶に歴史と人権の問題として残らなくてはならない。アジア諸国の日本軍性奴隷被害者たちの証言は約75年前の過去ではなく、私たちが解決しなくてはならない未来へのメッセージだ。

重重—消せない痕跡：アジアの日本軍性奴隷被害者

「弾乗りNO.1」1972年
作家　山下菊二
シルクスクリーン730×515ミリ
（解説）
1972年10月に第1回現代日本グラフィック・アート展（ロンドン、I・C・A）に出品され、その後ストックホルム国立美術館を巡回したが、1973年5月の帰国展（渋谷・西武百貨店）では、その出品を断られている。そのことは、生前の山下の口から私が聞いた覚えはなく、没後の画集編纂の際、年譜制作に携わった中島理壽の手によって、出品拒否の事実が明らかになった。
制作や創造にかかわること、その周辺については多くを語り、とりわけ作品批評については容赦のない山下だったが、自らの作品の処遇についての言葉は無かった。その山下作品、なかでも「反・天皇制シリーズ」と呼ばれる1970年代からの一連の天皇を扱った作品が、山下の没後25年の現在も、公立美術館で公開されていないという事実を知ったのは、昨年の日本画廊での「山下菊二展」でのことだった。
山下菊二の作品制作の生涯を支え、没後の毎年の展覧会開催を常としてきた「日本画廊」が、山下菊二作品の周知のために労した時と力について、多くを語る言葉を持たないが、山下菊二生誕100年を過ぎても、回顧する公的な場さえ持たないことの現状こそ、「表現の不自由」そのものである。（金山明子・画家）

弾乗りNo.1

「空気#19」２０２２年
プリントされたキャンバスにアクリル絵具、空気、２０５×２９１ミリ
「空気#20」２０２２年
プリントされたキャンバスにアクリル絵具、空気、２１０×２７０ミリ
作家　小泉明郎

〈解説〉
天皇制は、憲法だけでは捉えられない、空気のようなもので内面化してしまっている。それによってこの社会は成り立っている。空気であるがゆえに抵抗しづらい。そうした天皇制の性質をコンセプチュアルな絵画作品にしたのが、連作《空気》である。

本作は、２０１６年、東京都現代美術館の「ＭＯＴアニュアル２０１６　キセイノセイキ」展で館との交渉の結果、出品を断念し、展示会場にはキャプションだけが展示された。直後にギャラリー・無人島プロダクションで展示された。不特定な人権が侵害されることを理由に公的な美術館が規制をしたという問題を残した。

《空気#19》《空気#20》はあいちトリエンナーレ２０１９に出品した《空気#１》と同シリーズの最新作。《空気#19》は昭和天皇が戦後全国を巡行している様子、《空気

空気# 19

#20》は平成天皇が1995年に阪神・淡路大震災の被災地を訪れている様子をそれぞれ写した報道写真をキャンバスにプリントして、天皇・皇后を透明化した。小泉明郎は国家や共同体と個人の関係、人間の身体と感情の関係性を、実験的映像で探究するアーティストとして知られている。（岡本有佳）

壁をこえて——市民運動の展示

神戸郁夫

２０１９年のあいちトリエンナーレの企画展「表現の不自由展・その後」が暴力によってわずか3日で中止されました。その再開を求めて集まった市民たちが、自分たちの手で「表現の不自由展・その後」を開催しようと「表現の不自由展・その後をつなげる愛知の会」を結成しました。

市民運動展示の入口に掲げた「壁をこえて」のロゴ

しかし翌年からの新型コロナ禍で展示会開催は困難になり、その間に河村市長による「大村知事のリコール活動」や「ミッテ区の少女像への政府や河村市長による撤去要請」、「リコール署名の大量不正」「河村氏の名古屋市長選への出馬」、さらにはやっと実現した２０２1年7月の「私たちの『表現の不自由展・その後』」が郵便物の破裂で3日目に中止になりました。中止にした名古屋市に対する抗議活動、再開に向けての名古屋市との折衝など、２０２２年8月に開催した展示会までには3年間にわたる市民運動がありました。

「私たちの『表現の不自由展・その後』」は、単に「表現の不自由展・その後」の展示を再現するのではなく、「平和の少女像」に象徴される「日本軍性奴隷制」を否認する勢力の具体的な行動に対して、ひとつひとつ反対の意思を表明し行動することで、広く市民社会にこの問題を知らせ、「歴史の事実」として確認する場でもありました。天皇の画像を使った作品に対しても攻撃がありましたが、天皇にしても「平和の少女像」にしても、自分たちにとって都合の悪いものは展示させないというのは、明らかな「表現の自由」の侵害です。「表現の自由」と「歴史の事実」を守る。これがこの展示会開催に向けてのスローガンになりました。

このような経過から、展示会では「平和の少女像」や慰安婦にされた女性たちの写真、天皇の画像を使った映像などの「本展示」とは別に、3年間の市民運動の写真を展示した「市民運動展示」を設け、本展示の部屋から壁を抜けて、隣の市民運動展示の部屋を見てもらえるようにしました。市民運動展示の部屋の入口には、2019年のあいちトリエンナーレで中止になった展示室の壁に再開を求める色とりどりの紙が貼られた写真の上に、「壁をこえて」と大きく書かれた特大の布（写真家の安世鴻さんに作っていただきました）を掲げました。

2021年7月の最初の展示会の時は、

1. 「つなげる会の活動経過年表」
2. 「『表現の不自由展・その後』の再開を求めて」
3. 「『表現の不自由展・その後』再開」
4. 「大村知事リコール署名に反対する」
5. 「ベルリン市ミッテ区への少女像撤去要請に抗議する」
6. 「日本政府の妨害」
7. 「署名偽造 河村市長の責任追及と落選運動」

の写真を貼った展示物と、2019年8月から10月まで毎日行った愛知芸術文化センター前での抗議行動の模様を映した動画と抗議に使ったプラカード、受け取りを拒否された市長の署名偽造の責任を追及する署名用紙も展示しました。

2021年7月の展示会が、6日間の予定が開始3日目に破裂物が送られて中止になったため、2022年8月の展示会では残りの4日間を会期としました。前回の展示に、

8.「中止以降の経過年表」

9.「表現の不自由展 東京・大阪でも開催～妨害を乗り越えて」

10.「『私たちの表現の不自由展・その後』中止に抗議する」

を追加し、展示物が増えたため映像とプラカード、署名用紙は展示しませんでした。

3年間の活動の写真を張り付けた展示物は、つなげる会のメンバーが作成した素人作品ですが、この展示会を開催するまでの経過と展示会の意義を知ってもらううえでとても重要であり、一緒に活動した多くの市民にとっても活動を振り返ってその意義を確認できた展示になったと思います。

期間中の企画 ——作家のトークイベント

金広美《キムクァンミ》

2022年は、日本各地で「表現の不自由展・その後」が開催されましたが、その中でここ名古屋の展覧会では、他の地域では見られなかった二つのイベントを企画しました。

一つは、作家の声を直接届け、交流するトークイベント。そしてもう一つは、観覧者が参加体験できる「不自由を体験する」というコーナーです。

トークイベントはオンライン形式で行われ、安世鴻さん、キム・ソギョンさん、キム・ウンソンさん、小泉明郎さんの作家の方々に日替わりで登場してもらいました。そこでは作家の作品に対する思いや表現することの意味などをお聞きしました。その後、会場からも質疑や感想などを語ってもらうことができ、一般の展覧会に見られる作品と観覧者との関係を越えて、作家や他者とも向き合った多彩な空間を共有できました。

①安世鴻《アンセホン》さん

まずは26年前のナヌムの家の日本軍「従軍慰安婦」被害者の方々との出会いからです。このときの出会いをきっかけに自分に何ができるかを悩んだ末、一番自信のある写真という媒体を通して、被害者の生と苦痛を記録したい、より多くの人々に広く伝えたいという一心で活動してきました。その活動は韓国だけでなく、インドネシア、フィリピン、東ティモール、中国奥地などのアジア各地へと広がっていきましたが、生存者が毎年世を去るなかでの焦りも感じました。

２０１２年のニコンサロン写真展と２０１９年のあいちトリエンナーレ「表現の不自由展・その後」の中止を経験しました。

それを通して日本社会で表現というものが非常に制限的であり、10年前と今と何も変わっていないことを強く感じました。そして市民自身が表現の自由に関心がなければ悪用され、多様な表現ができる空間が無くなり、さらには創作者自らが検閲、自粛する社会になるのではと危惧します。

＊質疑

Q　なぜ「慰安婦」にこだわり、写真を撮り続けるのか？
A　被害者が高齢であり、「慰安婦」問題が過去の問題ではなく、今まだ解決できない問題であること。そして、若い世代や子どもたちに平和な社会を残すためにも、写真を通してこの問題を世に知らしめたい。
Q　日本社会での慰安婦の否定、そして日本の総理や世論の声をどう思うか？
A　認めないことの一つは、政治や右翼が否定するところが大きい。実際被害者に関する資料はたくさんある。日本国家が慰安婦制度に関与したという資料もある。ただ、日本政府がそれを認めないために否定論が出る。日本で発行された資料だけでも余りある。今の日本の現実は残念である。
多くの日本人が２０１５年以後、韓日慰安婦合意によってこの問題が全て解決したと考えているようだ。被害者の意見が反映されなかったことも問題であるが、被害者に対する直接・間接に精神的治療や治癒を目的とした対策が何も出されなかったことが問題だ。被害者の苦しみは今もそのまま残されていると思う。
Q　この合意（韓日慰安婦合意）は他のアジアの被害者たちに何の関係もないのでは？
A　他のアジアの国々は、日本国家から経済的支援を受けている場合が多く、自国の被害者の保護、記録、治癒など全くできていないのが分かる。私がアジアの被害者に関わる理由の一つは、日本社会や国際世論が韓日間にある問題を歴史観の葛藤のみに矮小化していることが大きい。それはアジアの被害者の声が日本社会や国際社会に伝えられていないために起こるのだと考える。アジアのすべての被害者の声を届けることが、この問題を女性の人権のみならず、全ての人権を守り、平和へと向かう道だと言える。

②キム・ソギョンさん、キム・ウンソンさん

平和の少女像は日本軍慰安婦被害者による水曜デモ1000回目を記念して、2011年12月14日に誕生しました。被害者のハルモニたちを記録するために、そしてその勇気とその姿を記録するために作りました。少女の荒く切られた短い髪、ぎゅっと握りしめた拳、浮いた踵、少女の姿一つ一つに思いを込めました。平和の少女像の隣には空いた椅子があり、その部分を一番大切に考えて製作しました。なぜなら亡くなられたハルモニたちがそこに座れるように。また多くの人々がそこに座り、こうした問題が何故いまだ解決されずにあるかを考え、さらに進んで自分には何ができるのか悩んでくれることを望んでいます。

＊質疑

Q 「平和の少女像」が「慰安婦像」と呼ばれることをどう考えるか?

A キム・ソギョンさん

私たちは慰安婦という言葉は使わない。私たちのこの作業は平和の少女像、または平和の碑と名付けている。なぜなら、未来の子どもたちが性的被害を受けない平和な世の中こそが彼女たちが夢見る世界だからだ。

Q　私は日本と韓国国民の友好、平和を願っている。しかし作家は慰安婦像という形で日本人と韓国人の対立を煽っている。友好を願うなら世界にある少女像を撤収してもらいたい。

A　キム・ウンソンさん

ある国が一方の国を侵略したという歴史的事実を明らかにすることが大切である。それができない中で被害者の痛みと正義のために芸術へと発展させる行為を反対、妨害することが平和だと言えるであろうか。撤去するよりも前に、正しい歴史認識を持つことが必要ではないか。

Q　作家の書かれた本「空いた椅子に刻んだ約束」の内容について聞きたい。戦時下に朝鮮半島の少女たちが強制的に連れて行かれ、その中には「13歳から15歳の幼い少女たちも含まれていた」とあるが、それに対する客観的な証拠はあるのか？

A　キム・ウンソンさん

ハルモニたちは常に言っていた。「私が証拠そのものだ」と。１９９1年、金学順ハルモニの証言によって、その後約３００名に及ぶハルモニたちが証言してくれた。ハルモニたちの鮮明で根気ある証言は証言集に収められている。それこそが証拠である。

また国連人権理事会で性奴隷被害者の事例を通して日本は被害者に謝罪、反省、補償をするよう勧告があった。しかしこのような国連人権理事会の勧告にもかかわらず、否定する者たちがいる。現在まで否定する日本政府によって歴史的正義にはいまだ至っていない。

③小泉明郎さん

アーティストとして常に何を表現すべきかを考え、悩みながら作品を作っています。そしてアーティストにとって自由というのがとても大切な概念であることを何度も強く感じています。なぜ自由が大切なのかを近代以前の美術と比較してみると、それはかつての上から押し付けられる価値観ではない、前提のない世界で、それぞれの作家が自問、葛藤しながら自分の価値観を作り上げ、作品を世に出すのが近代アーティストの基本的な姿勢です。

この展覧会で出展した「空気#19」「空気#20」では、他の空気シリーズと同様の手法を使いました。既成の天皇や皇族の写真をキャンパスにプリントし、その姿を覆うようにして後ろの背景を描くことで、天皇や皇族の姿を消すという作業をしたものです。その作業で天皇を空気化しました。

象徴である天皇は、人々は日々意識はしないが、無意識のどこかにその存在が植え付けられている。天皇に対するタブーが生まれるのも天皇制が根強く生きている社会ゆえではないかと思います。天皇や皇族の姿を消すこと、空気化することで、周りで日々行われている儀式や制度というものを結晶化し、可視化できれば、まさに天皇制を支えている人々の無意識の形をそこで見出していくことができるはずだと思いました。

そして過去の天皇制というものを考えた場合、それを無意識に埋もれさせてしまっている今の状況は健全ではなく、今現在我々が不思議な儀式をもって生かし続けているその制度をしっかり見据え、それぞれが意識化していくことが過去の歴史を繰り返さないためにも、必要であると思います。

＊質疑

Q　天皇を空気として内在化した日本人の肖像との印象を持った。大きい作品も見たい。

A　日本人の肖像と聞いてちょっとはっとさせられた。私は天皇の肖像というよりも天皇制の肖像だろうという意識でいたが、確かにイコール天皇制というものを内在化した日本人の肖像である。その表現は素晴らしい。大きさは、報道写真から取っているため、手のひらサイズか壁に掛けられるサイズになる。

期間中の企画 ――「不自由を体験する」

キム・ヨンア

2022年の春、私は「私たちの『表現の不自由展・その後』」の実行委員会メンバーになり、企画チームに入りました。8月の本展で展示室一つが空くことがわかったので、そのスペースを有効に使って何か面白いイベントをやりたいと思いました。展覧会にいらっしゃる方たちは「観る」行為をするから、むしろ「動く」と「語る」行為ができたらいいと思いました。

表現の不自由さを体験してもらうのはどうかな?　体の不自由、そして自由に話せない不自由を体験できる場を設けようと思いました。

例えば、討論に参加している間に、片足だけで立っていたり、頷くことを我慢する不自由を体験してもらいます。また、決まった単語を禁じます。討論中は、天皇、天皇制、安倍、少女像、慰安婦、忖度、戦争などを禁じます。ホワイトボードに2通りの制限事項を貼ります、左に体の不自由、右にことばの不自由。時間は10分ぐらい。参加者が多すぎるとコントロールしづらいので、1回10人までと参加者を制限します。スパイダーマン、ちびまる子ちゃん、サザエさんなどのお面を10個ぐらい用意し、好きなお面を選んでもらい、参加者は討論の間はお面の名前で呼ぶことにします。円滑な進行のためもありますが、別のキャラに扮すると、ふだんより正直になり大胆になって、お互いに自由に話せるからです。

実際にやってみると、最初に決めたルールはあまり意味をなしませんでした。参加者が思った以上に積極的に発言してくれたからでした。そこで、語りたくて仕方ない参加者にできるだけチャンスと時間を与えるような運営を、むしろ心がけました。人数制限も無理に守らせることはしませんでした。

以下に紹介するのは、ヘイトスピーチがテーマで、禁句が「天皇」と頷くことを禁じた時のエピソードです。参加者の皆さんは「天皇」の代わりに「あの人」とか「あの方」と言いました。まるで『ハリー・ポッター』でヴォルデモートについて語るときの生徒たちの状態。『ハリー・ポッター』を知らない人のために補足すると、彼は悪の魔法使いで、生徒たちは怖くて名前を口に出せません。

Q　誰が何を言ってもいいというのはヘイトスピーチも含まれますか?
Aさん「自由だと思います」
Cさん「表現の自由は基本的には無限に許されると思います」
Q　それはヘイトスピーチを含めてですか?
Cさん「思っていることを外に出すという行為自体は許されるべきだと思います」
Q　言葉だけのヘイトスピーチなら大丈夫ですか?
Cさん「嫌だけど表現の自由は…守られるべきだと思います」
Dさん「『死ね』とか毎日言われたら病むと思うので、相手の表現の自由をそれでも保証する必要があるのかな?」

Eさん「全面的に表現の自由は保障されるべきだと思っています」

Q　その表現の自由にはヘイトスピーチも入ってますか？

Eさん「ヘイトスピーチも入ってますね。何かを一方だけがいいというだけではよくないと思います」

Fさん「私はヘイトスピーチは表現ではないと思います。川崎市の朝鮮学校の前のヘイトスピーチの事件とかを見ていると、高校生や小学生が大人が聞いても耳を塞ぎたくなるような言葉を浴びせ続けられる。それ以外にも日本国籍を持ってなくて日本に住んでいる人たちに対して『出て行け』とか、『国へ帰れ』というのをあまりにも安易に使いすぎていると思います。私こんな格好してますけど男性です。今ツイッターを中心にトランスジェンダーに対するめちゃくちゃなヘイトが飛び交っていて、例えば、女のふりをして女性トイレに入りたがっている人、そういう犯罪者とトランスジェンダーの人を同一視させて、犯罪者予備軍みたいな者にして排除する。そういうことがすごくまかり通っていて、それで自殺する人たちとかもたくさんみえるので、そんな社会にはしたくないです」

Q　普段この人（天皇）について話しますか？

Hさん「あれ（天皇）はね。あまり話しちゃあかんけどね」

Q　どうしてですか？

Hさん「あのね。あれ（天皇）と政治の話…営業で言っちゃまずいね」

Q　どこだったら話してもいいですか？

Hさん「家庭内だったら別に大好きだとか大嫌いだとか…、家族だったら差し支えない。あんな男（天皇）、どうにもならんとかさ。はっきり言って、飾りだから」

頷くことを我慢する苦しみを味わって…。「こんな小さいことを我慢することがこんなに大変だとは知らなかった」など、期待通りの返事もたくさんいただきました。しかし驚いたのは、タブーとしたことを隠語で語るときに、待ってましたとばかりに、言葉がつぎつぎと溢れ出したことでした。

私はこの「不自由体験コーナー」をやる前まで、つまり日本に住み始めてからの30年間、日本人は自分の意見を語りたがらない、親しい友達とも当たり障りのない話で済ませる、そんな人たちだと思っていました。

お面の効果でしょうか。禁句を設けたのが逆にいい方向に働いたのでしょうか。制約を強いたことで普段は言えないことを表現できたのでしょうか。禁句にしておきながら、それについて隠語で話してほしいと言ったのが、日頃の抑圧から解放されるのに多少とも役に立ったのでしょうか。正確にはわかりませんが、大人しい日本人がここまで正直にタブーを語ってくれたのは、予想もしなかった収穫でした。日本人が本音で話すのを初めて見た気がして、本当に嬉しかったです。彼らは建前というお面を被って当たり障りのない話をする、日常に戻っていったようでした。この「表現の不自由体験」が参加者に心にどういう形で残るでしょうか。表現の自由につながる種子となって、彼らの心のうちで育ってくれるといいのですが……。

２０２２年「私たちの『表現の不自由展・その後』」観覧者アンケート

２０２２年８月25日

２０１９年に見に行きたいと思った直後に中止されたと知った時のショックが忘れられず、３年越しにやっと行けるのを心待ちにしていました。ずっと直接観たかった少女像に会えて非常にうれしいです。像に触れてみて、製作者の想いの固さ、かかわった方々の重さを感じました。この像は、かつて慰安婦という存在があった事実、生存者、亡くなった方の姿を残すものとしてなくてはならないものと思います。

高齢になられた生存者の写真の表情は、あの人権侵害を受けた当事者にしかわからない気持ちだろうと思います。それを嘘だというのは、最大の非礼、侮辱です。被害者の生の声をこれからもずっと後世に残すべきだと思いました。＝堀田華（20代）

＊

日本軍によって、様々なひどい被害にあわれた方の写真や内容を改めて知ることができて良かった。

私は韓国が大好きで、友人もいるのですが、韓国の歴史の授業で日本に酷いことをされたという内容が少し出てきた時に聞いたことがありましたが、詳しくは聞かなかったのでこの「表現の不自由展・その後」に来て、知れてよかった。

こんなにも、酷い扱いをされた過去があるのに今の日本を嫌いと言わず、仲良くしてくれている友人に感謝の気持ちが出てきました。過去の日本の行いを忘れないようにしたいと思った。＝山本光（20代）

リコール問題より興味を持ち、鑑賞させていただきました。芸術に疎い私で感じることは少ないですが、実際見ることができて嬉しく思います。私としては、後半の市民の闘いが素晴らしく、河村市長への抗いを知ることができて良かったです。＝匿名希望（40代）

＊

表現の自由について、思いを共有したいという工夫がありとても示唆に富んだ展覧会でした。今回、時に安世鴻さんのお話を聞かせていただいたこともとてもよかったです。性奴隷にされた方々の心のケア、名誉の回復、事実を公共の記録として社会に広め残していきたいという思いがどんどん広がっていくことを願って、私も機会を見つけてできることをしていきたいと思いました。ありがとうございます。＝森康洋（50代）

＊

あいちトリエンナーレに来られなかったことをずっと残念に思っておりました。開催くださってありがとうございます。京都でも先日参加しましたが、多くの暴論を叫ぶ方々や警備の方々に囲まれて、自由のないことを本当に窮屈に感じました。普段は鈍感にも自由な社会で生きていると漠然と思っていましたが、実はそんな自由は「制限つき」だと実感できました。言い換えれば、ここでの展示のような挑戦がなければ、ぼんやりした「自由」のぬるま湯に慣れてしまいそうでそれが怖いと思えたのでした。

開催くださったスタッフの皆さん、書籍売り場の中学生のお嬢さん、トークショーの通訳の方、出展された方、すべての関係者の方々に心から感謝申し上げます。＝松浦さと子（60代）

＊

今回、再開できて心から嬉しく思います。よく頑張った。大勢のスタッフお疲れ様。思ったより観客が多くてよかったです。右翼がいっぱいいると思ったが、まったくいなくてよかった。安世鴻さんのお話を聞きました。ボランティアをされたとお聞きしましたが、酷いお家に住んでいてそれを修理のボランティアと知って、それに参加された皆さんにも心からお礼申し上げます。かつて、日本は広島・長崎に象徴されるように被害をテーマにした反戦活動が中心だったと思います。大切なことは、加害の反省をテーマにした反戦平和活動が一番大切なことと信じます。ドイツのナチス活動への闘いの国民の活動が大切だと思うのと同じです。今回の「～その後…」が最後まで無事に展示できること、一人でも多くの市民が見に来てくれることを祈念します。また、こういうことを理解される政治家が増えることを期待します。ありがとうございました。＝瀧川裕行（70代）

2022年8月26日

まず、この展示ができたことに感謝です。この展示を批判する人は展示を見たことがあるのでしょうか？河村たかしが市長をしている市立美術館の地下1階にはメキシコのプロパガンダ絵画が常設されています。プロパガンダが芸術でないとしたら、学校の時間にポスターを描かせるのは誤りなのでしょうか？恋人を忘れるために写真を焼く人を、恋人を冒涜したという人はいないと思います。天皇の版画を焼いたことを天皇を冒涜したという人は何を考えているのでしょうか？細かいことを言えば、大浦氏の動画をもっと多くの人が一度に鑑賞できるようにコーナーを広くした方が良かったと思います。＝鷹巣辰也（60代）

＊

2回も見ようと思ったのに中止ということが続き、もう少女像と会えないのかとガッカリしていましたが、今回やっと隣に座ることができました。私は最初の時に「見たかったのに」の垂れ幕のスタンディングに2

回ほど参加しただけですが、その後も粘り強くずっと頑張って実現にこぎつけてくださった方たちがいらっしゃったことに感動します。本当にありがとうございました。脅迫に負けて中止になるということはとても恐ろしいことで、戦前につながるようなことだと思います。少女像の隣にすわって語り合い、写真を撮ることができてとても嬉しかったです。ナヌムの家の写真も心にこたえました。日本が少しでも早く謝罪するよう自分にできるところで頑張って行きたいです。＝近藤早苗（60代）

＊

表現の自由に関する先端の境界でどのような正義の実現に向けた戦いが起きているのか、関心がありました。展示してあった当時に慰安婦だった女性の方々に関する証言が生々しく記されていた内容を見て、日本軍（旧）が外国東洋人を性の奴隷として強制的に徴用していたことが間違いのない事実だと知り、非常にショックを受けました。こういった事実の表現を不自由にしようとする動きは大きな犯罪だと思います。芸術の本来の目的は、こういった真実を自由に公開することにあるはずです。＝川崎コウ（50代）

＊

今回は表現の不自由展その後の開催ありがとうございました。栄駅入り口で警察の人が何人かいてものものしい雰囲気でビックリしましたが、中に入ると静かなこじんまりした会場で二つがかけ離れているように思いました。以前から愛知の表現の不自由展が話題になっていたので今日は実家に久々に寄ったついでに来ました。最近の日本の真実を伝えない報道やそんたくして物言わない社会に危機感を感じています。アジアの日本軍性被害がとても衝撃でした。このような状況の中でも勇気をもって開催してくださりありがとうございました。＝大竹亜矢子（50代）

＊

今回初めて展示を見ました。歴史の本を読んでもピンとこなかったことが写真や動画を見てリアルに日本（軍）がしてきたことの一端を知ることができました。昨今の嫌韓、嫌中感情は一方的な視点でしか見えてないという印象で議論は平行線です。動画を見てもヒロヒトの写真を焼却する場面だけを取り上げて憤りをあらわすどこかの市長もかつて日本（軍）がアジア各地でしてきたことに目をそらしていいのか？ 大手マスコミは原爆の被爆や空襲被害はよく取り上げるけど戦争が始まった侵略（加害者）視点が抜け落ちていたら客観的に冷静に考えることができなくなってしまう。こうした展示は映像を通しての角度に常に見る側に提供していただきたいと願います。＝岩田順一（60代）

2022年8月27日

静かな環境で鑑賞できました。大満足です。特に見たかった小泉明朗氏の作品。天皇の姿を「透明」にした「空気」シリーズ。思考や想像（創造）力を刺激されました。加えて大浦さんの映像作品と韓国人作家の平和の少女像に「脊髄反射的」に反応した自称愛国主義者の人々の精神の貧しさも再確認。統一教会（韓国）という「宗教」を偽装した「集金団体」と反共イデオロギーと選挙応援、集票活動をタダで寝ずにやってくれる信者を提供してもらえるという「下衆」な考えで手を組んだ自民党政治家達。今回正体がバレてしまいました。2019年に表現の不自由展に圧力をかけた彼らの言い分は、展示内容が天皇を侮辱したものとか、戦時中の慰安婦問題などは国辱というものでした。ところが天皇を一番見下していたのが文鮮明教祖、その文教祖に敬意を表していた自民党安倍元首相を国葬にする岸田自民党。もう笑うしかありません。まさにお粗末。＝角・すみ（60代）

＊

話題性の高い企画展ということで、大変関心があり、観覧を心待ちにしておりましたが、報道されているとおり、中断を余儀なくされる等、影響が出ていました。今日、予定と念願がかない展覧会に足を運ぶことができました。表現の自由には個人差があり、思考も十人十色異なっております。今のこの世の中、大変な苦難となっております。無事に開催できたことに感謝申し上げます。＝山田陽（50代）

＊

私は今回で3回不自由展を見ます。今回は展示作品が少ないのが残念です。表現の自由は民主主義の基本である。民主主義を守るために表現の自由を守りたい。人類は歴史に学ばない。これではいけない。事実を事実として認め、ここから始めなければ正しい結論には達しない。天皇の写真を焼くほどの事で社会が騒ぐのが私には理解できない。不自由展に反対する人々は彼らの主張に自信がないと思う。だから彼らは騒ぐのであると思う。これからも不自由展を続けて下さい。民主主義のために！＝村木康一（80代）

＊

2019年に見に来たいと思っていたが、中止になったのでかないませんでした。スタッフのみなさまのご尽力により、見に来るチャンスが得られ感謝します。「芸術でない」とか「天皇へのぼうとくだ」とか、意見を出し合うのが民主主義の前提であるのに、見させない、意見を出させないというのを、あたり前っぽく主張する意見にすごく違和感を覚えていました。今後もこのような展示会をつづけて下さい。＝奥村正夫（60代）

＊

今回の展示会がなぜこんなにも検閲されるのかよくわからない。日本軍が朝鮮人を強制連行等したのは事実。……と学校では学んだのだが……。むしろ日本が残忍な行為を行なっていったことを知り、二度と繰り返さないように1人1人が心に刻むべきではないかと思う。平和の少女像は純粋にアートとしてすばらしい作品なの

に検閲されるのは勿体ない。もっと多くの人に鑑賞してもらいたい。＝河合裕美（30代）

＊

あいちトリエンナーレ、毎回楽しみに観に来ています。前回の「表現の不自由〜」の騒ぎの時は、これらの作品の好き嫌いは別にして、「力」でねじふせる、またソンタクして自粛する「日和見」する……という日本人に多い「クセ」を目の当たりにしました。好きな物はスキ、嫌いな物はキライと口に出来ないだけではなく、このままでは思う事もはばかれる世の中になると危惧しています。表現の自由、内心の自由が奪われ、軍国主義の世の中になってきているのを、なんとかしたい。次世代が幸せにくらせますように。＝榎本優子

2022年8月28日

勉強になりました。本で見るよりはるかに衝撃的でした。反対する声もありますが歴史を認めてから前を進めていけると思います。これからもこのような展示会をやり続ける必要があると思います。意見としてもう少し展示物を増やした方がいいかもしれません。＝滝るり（10代）

＊

政府によって国民の自由な表現を侵害されることを生身で実感できたと思います。表現の不自由作品を見る自由、日本国憲法で保障されているはずなのに。国があって私たち一人がいるというのにもっていくというのを昭和天皇の写真を見て考えました。それは違うと感じた時、心がすっきりしました。

少女像に会うことができ元慰安婦の女性たちの写真を見てこの人たちと一緒に平和な未来へ向かって歩いていきたいと思いました。開催本当にありがとうございました。＝河村笑美子（30代）

不自由展に行ってみようと思ったのは、CBCの小高アナの不愉快に思ったり嫌な気分になることは何故かということを考えるのはとても大事なことなのだ、という言葉を聞いたからです。演劇や美術展覧会へ出かけて行く身としては、何をやっても良いとまでは言わないが、表現の自由というのは常に考えていきたい。今回の開催、おつかれさまです。ありがとうございました。＝丸山正二郎（40代）

＊

様々な妨害を跳ね除け最終日まで開催されたことに心から敬意を表します。芸術は表現そのものです。その表現を阻まれるということは芸術が否定されることと同じです。また自由にものが言えないことの次に待っているのはどんな時代でしょうか？　そうならないためにこうした活動は必要ですし、私も力になれることをしていきたいと思います。＝杉浦伸枝（50代）

＊

お婆さん達の証言を読んでいると胸が苦しくなりました。真実を表現できない世の中は異常だと思います。日本がしてきたことをちゃんと反省しておばあさん達が少しでも気が休まる日が来ることを願っています。＝匿名希望（50代）

＊

慰安婦の方々には日本人として本当に申し訳なく思います。日本政府はどこでもどこの国でも似たようなことがあったと言って責任逃れをするのではなく、誠実に対応するべきである。映像の展示については、この展示が一般国民の方々にどう受け取られるのか気になるところです。天皇制廃止を求める私には右翼が必要以上に騒ぐことが残念で、そのようなことがないように天皇制を問うことを期待します。＝三和秀行（70代）

数字で見る「表現の不自由展・その後」

1．年齢別

年齢	割合
10代未満	0%
10代	3%
20代	10%
30代	7%
40代	13%
50代	21%
60代	20%
70代	8%
80代以上	1%
無回答	17%
総計	100%

年齢	参加者数
10代未満	2
10代	15
20代	45
30代	30
40代	58
50代	94
60代	88
70代	36
80代以上	4
無回答	76
総計	448

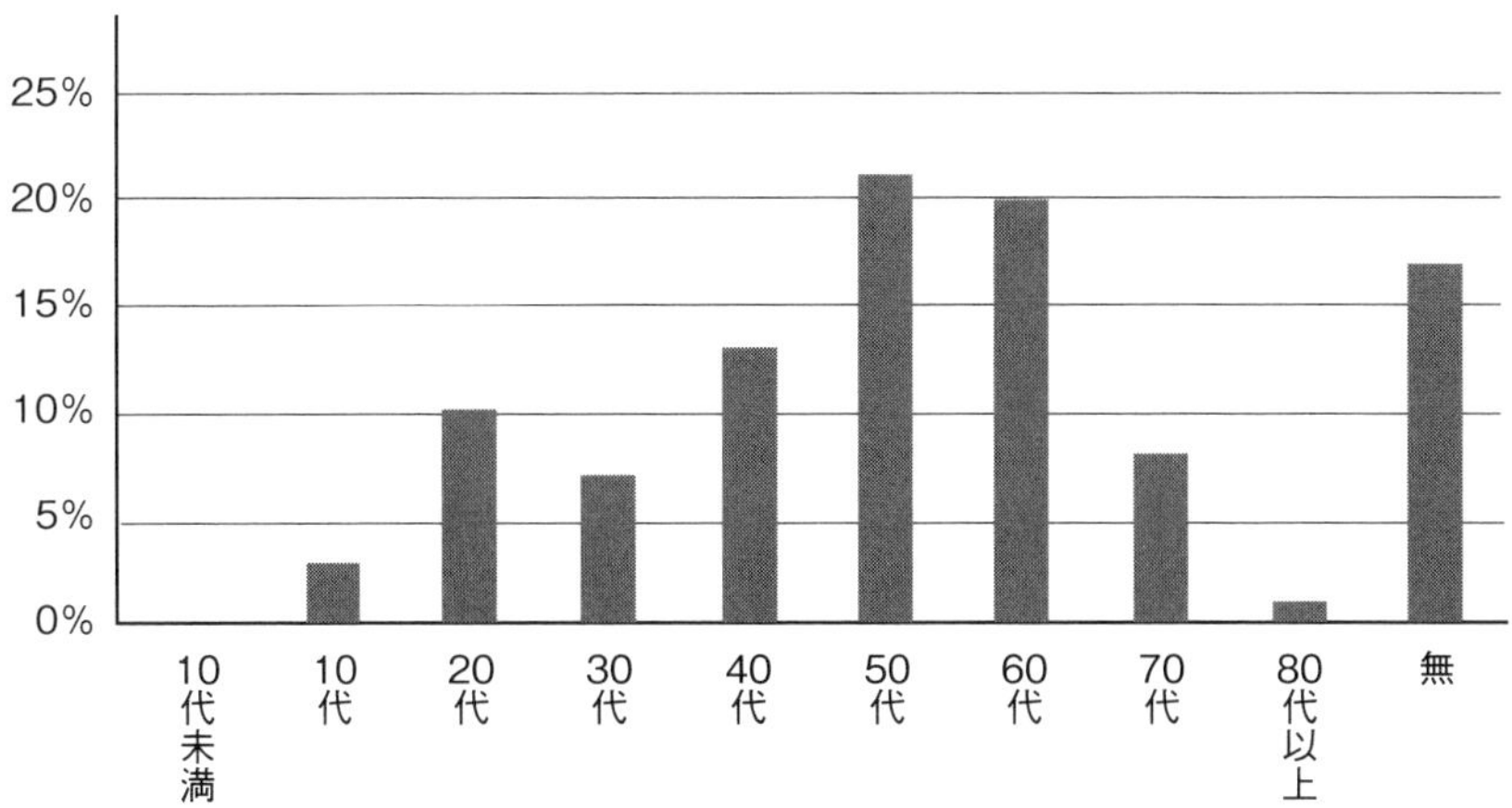

2．知った契機

契機	人数
SNS	86
チラシ	22
メディア	192
知人・その他	66
無回答	82
総計	448

年齢	SNS	チラシ	メディア	知人・その他	無回答	総計
10代未満			2			2
10代	1		9	3	2	15
20代	5	3	26	7	4	45
30代	7		14	7	2	30
40代	16	3	26	8	5	58
50代	30	5	43	11	5	94
60代	19	3	43	17	6	88
70代	4	7	16	5	4	36
80代以上			2		2	4
年齢無し	4	1	11	8	52	76
総計	86	22	192	66	82	448

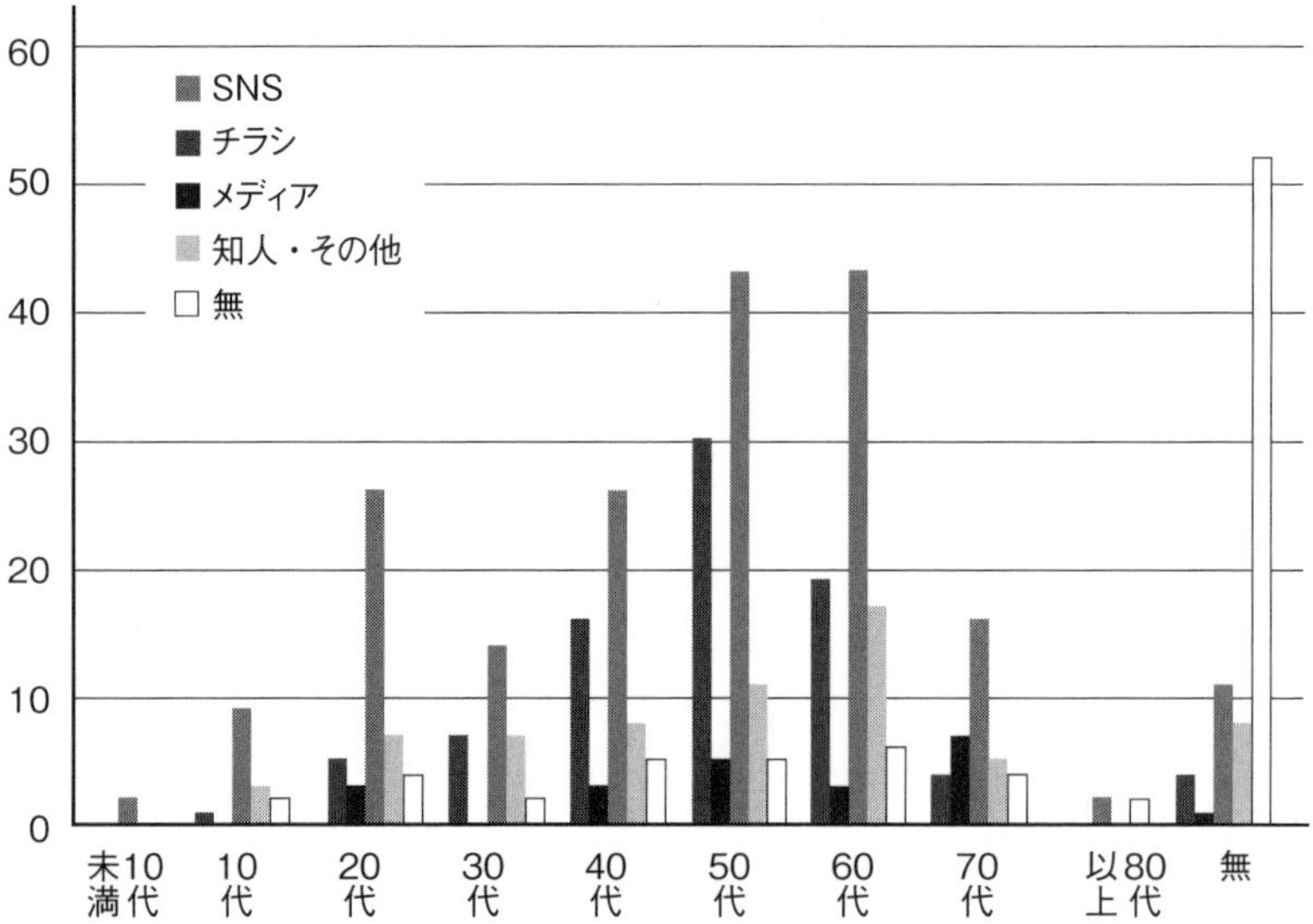

3．地域別

地域	人数
愛知県	114
愛知県外	77
名古屋市	151
無回答	106
総計	448

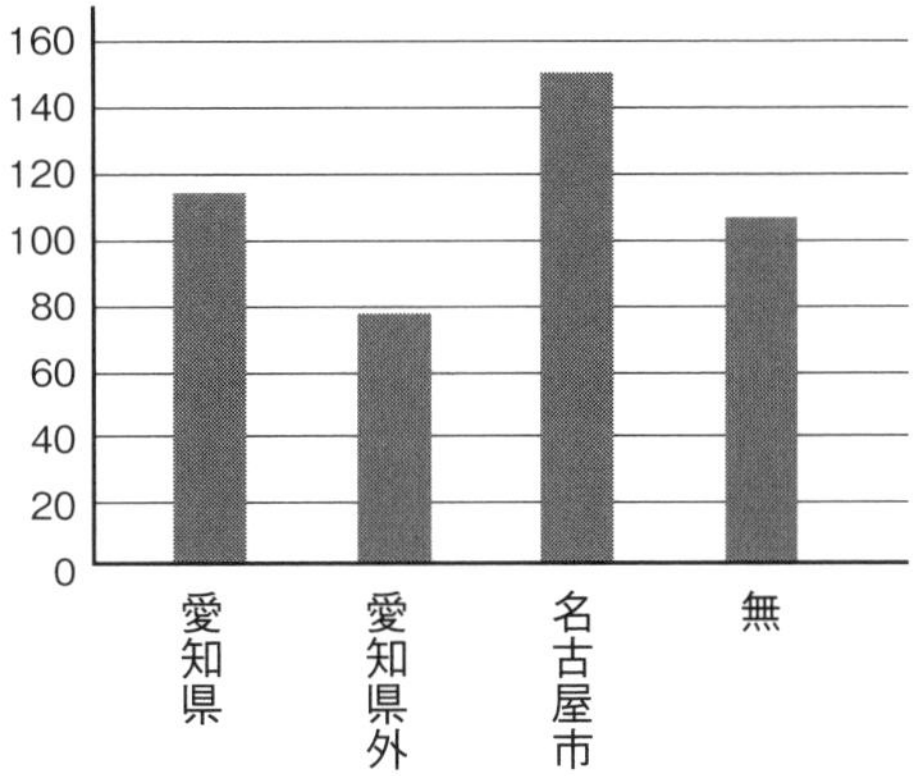

4．感想文の単語の頻度

〈全体〉

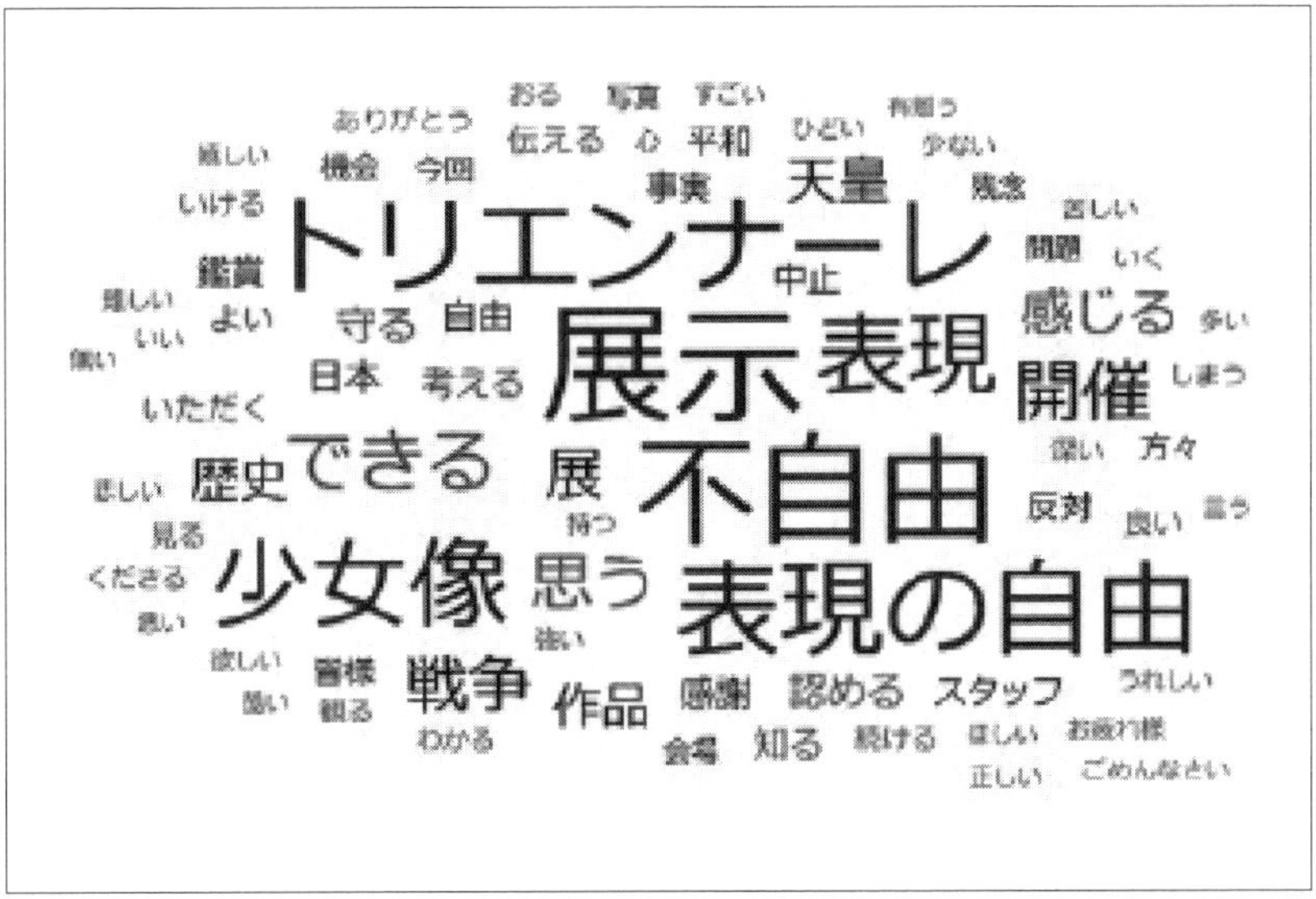

〈10代〉

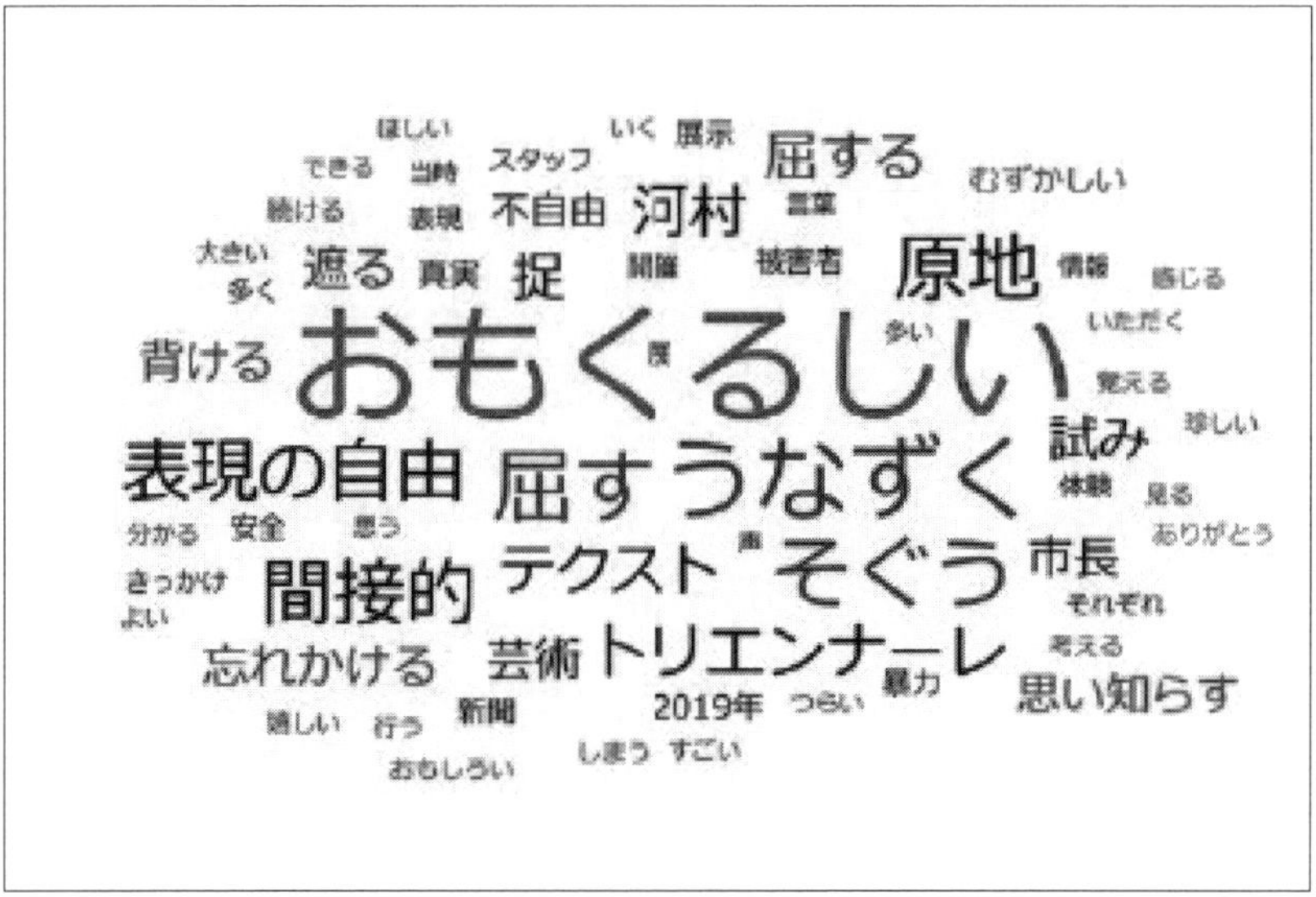
ほしい
いく
展示
できる
当時
スタッフ
屈する
むずかしい
続ける
表現
不自由
河村
言葉
大きい
遮る
真実
捉
開催
被害者
原地
情報
感じる
多く
多い
いただく
背ける
おもくるしい
覚える
試み
珍しい
表現の自由
屈すうなずく
体験
見る
分かる
安全
思う
ありがとう
きっかけ
間接的
テクスト
そぐう
市長
それぞれ
よい
忘れかける
芸術
トリエンナーレ
考える
暴力
思い知らす
2019年
つらい
嬉しい
行う
新聞
しまう
すごい
おもしろい

〈20代〉

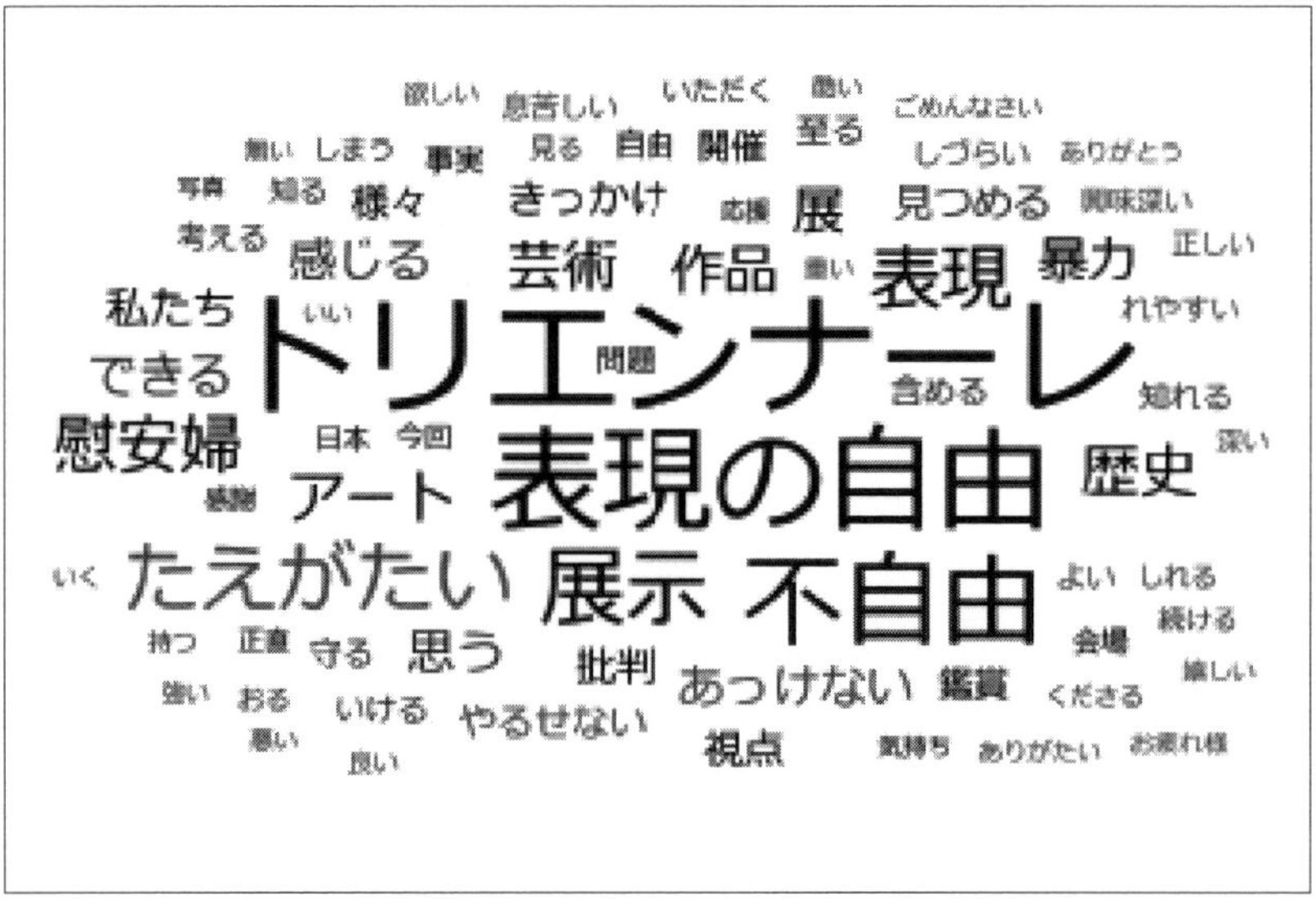
欲しい
息苦しい
いただく
ごめんなさい
しまう
事実
見る
自由
開催
至る
しづらい
ありがとう
写真
知る
様々
きっかけ
応援
展
見つめる
興味深い
考える
感じる
芸術
作品
表現
暴力
正しい
私たち
いい
トリエンナーレ
れやすい
できる
問題
含める
知れる
慰安婦
日本
今回
表現の自由
歴史
深い
感謝
アート
いく
たえがたい
展示
不自由
よい
しれる
持つ
正直
守る
思う
会場
続ける
批判
あっけない
鑑賞
嬉しい
強い
おる
いける
やるせない
くださる
悪い
視点
気持ち
ありがたい
お疲れ様
良い

〈30代〉

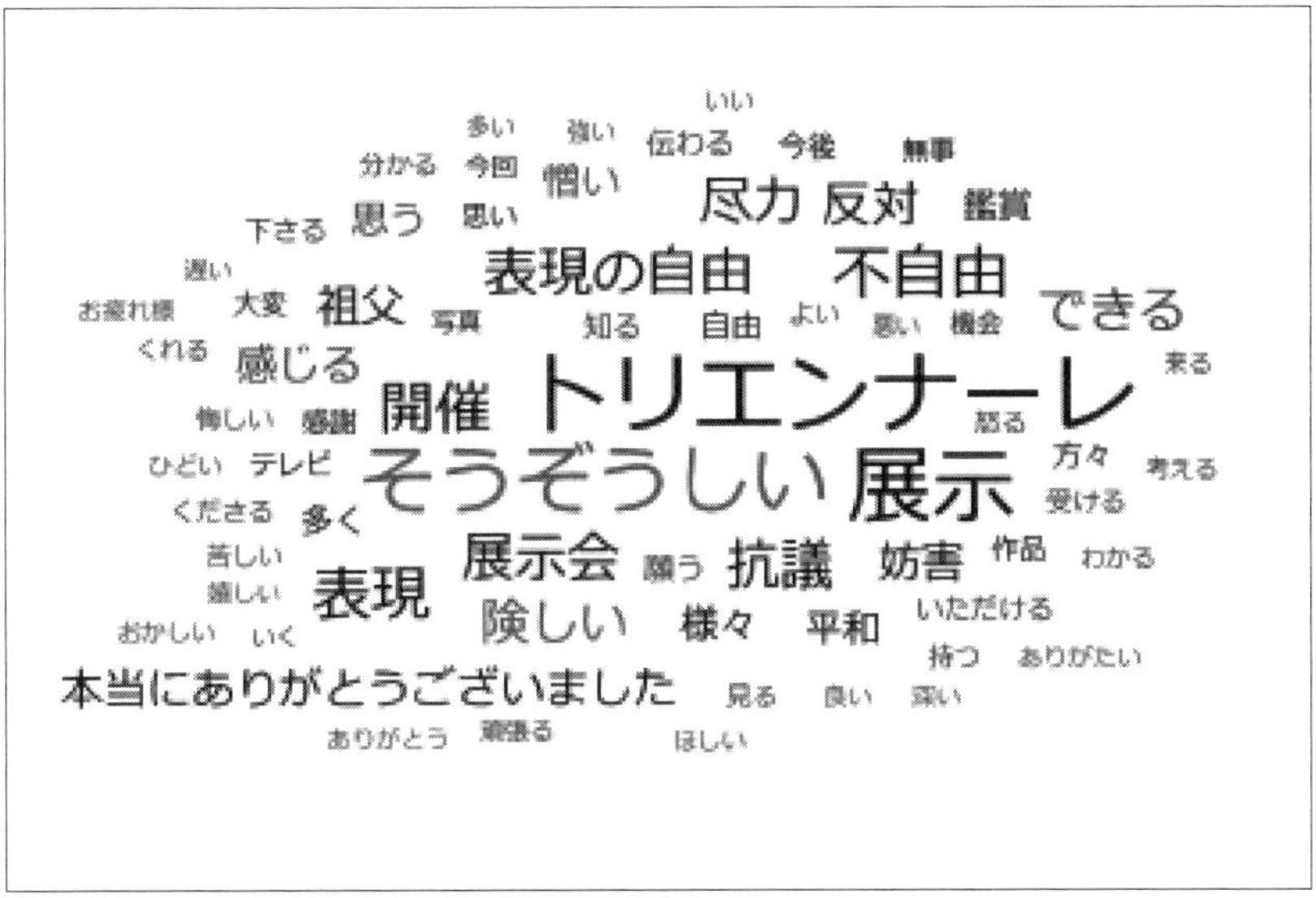
トリエンナーレ
そうぞうしい
展示
表現の自由
不自由
できる
開催
表現
展示会
抗議
妨害
険しい
様々
平和
本当にありがとうございました
尽力
反対
鑑賞
祖父
感じる
思う
憎い
伝わる
今後
知る
自由
多く
テレビ
作品
方々
いただける
持つ
ありがたい
見る
ありがとう
ほしい
いい

〈40代〉

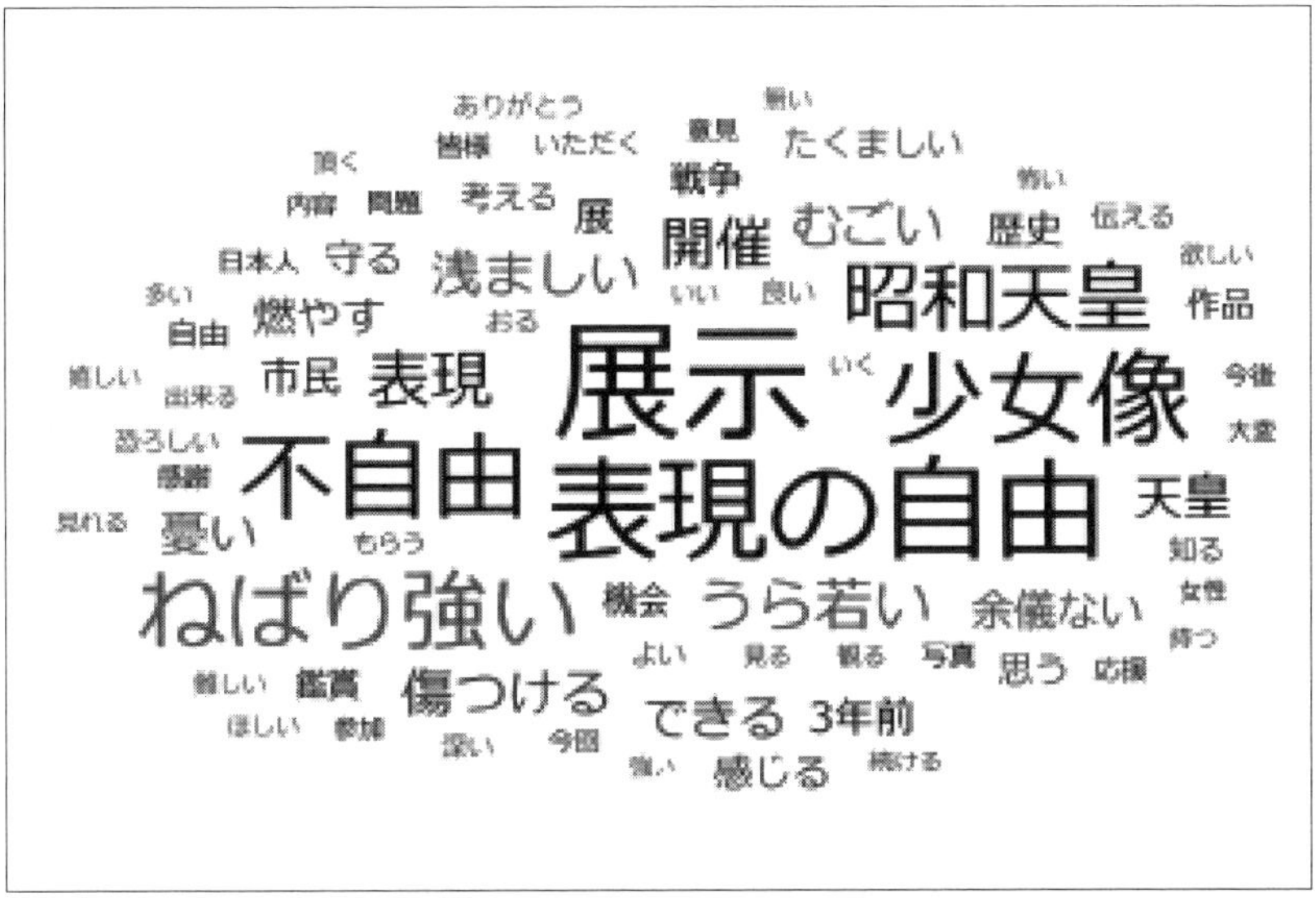
展示
少女像
表現の自由
不自由
昭和天皇
ねばり強い
うら若い
開催
むごい
浅ましい
燃やす
表現
市民
天皇
憂い
傷つける
できる
3年前
余儀ない
機会
感じる
歴史
戦争
たくましい
守る
考える
展
作品
思う
鑑賞
写真
ありがとう
いただく
日本人
自由
伝える
知る

〈50 代〉

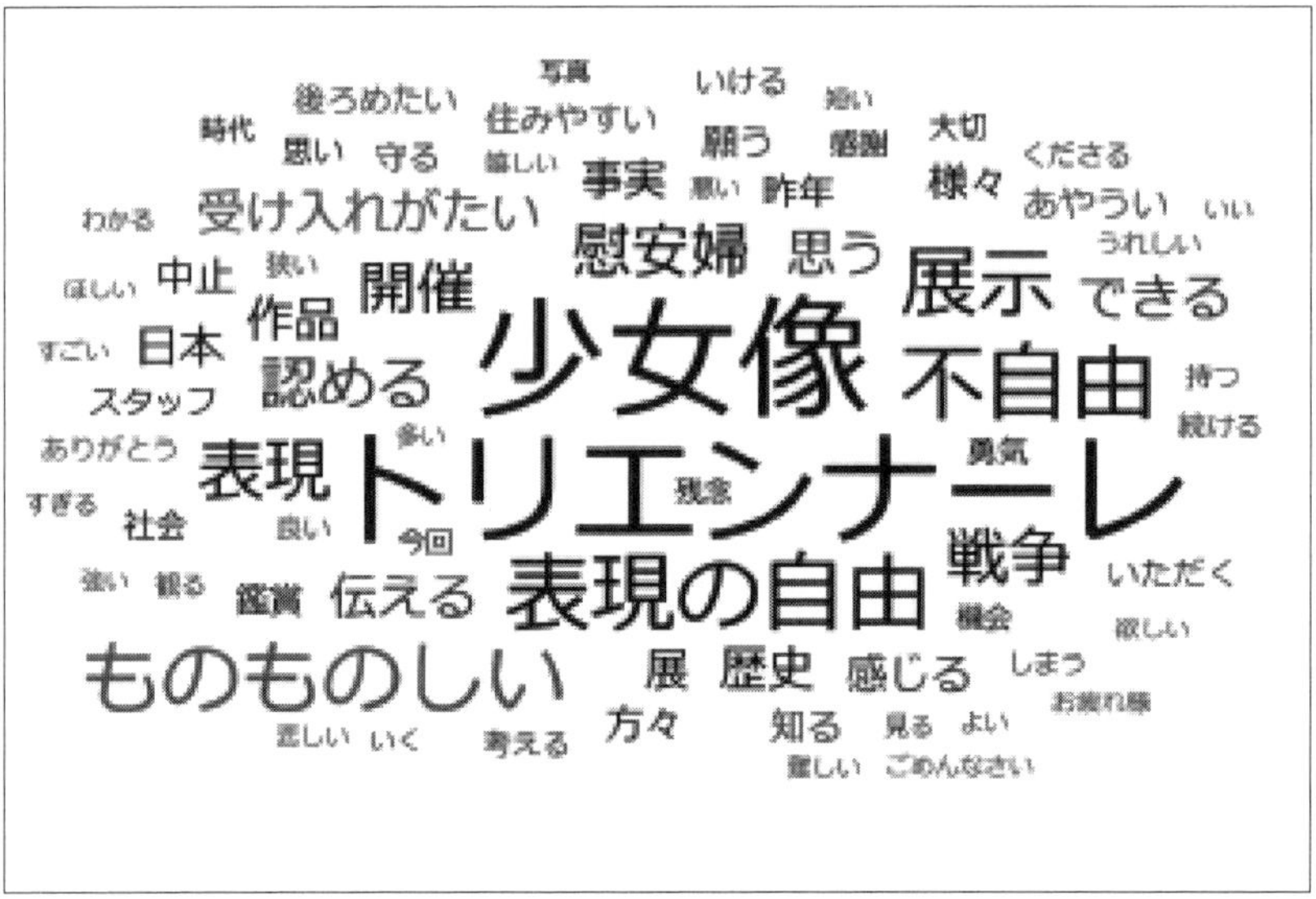
写真
後ろめたい
いける
時代
住みやすい
願う
大切
思い
守る
事実
昨年
様々
くださる
受け入れがたい
あやうい
いい
わかる
慰安婦
思う
展示
うれしい
ほしい
中止
開催
できる
作品
少女像
すごい
日本
不自由
持つ
認める
スタッフ
続ける
ありがとう
表現
トリエンナーレ
勇気
残念
すぎる
社会
良い
今回
戦争
いただく
強い
観る
鑑賞
伝える
表現の自由
機会
欲しい
ものものしい
展
歴史
感じる
しまう
お疲れ様
方々
知る
見る
よい
悲しい
いく
考える
ごめんなさい

〈60 代〉

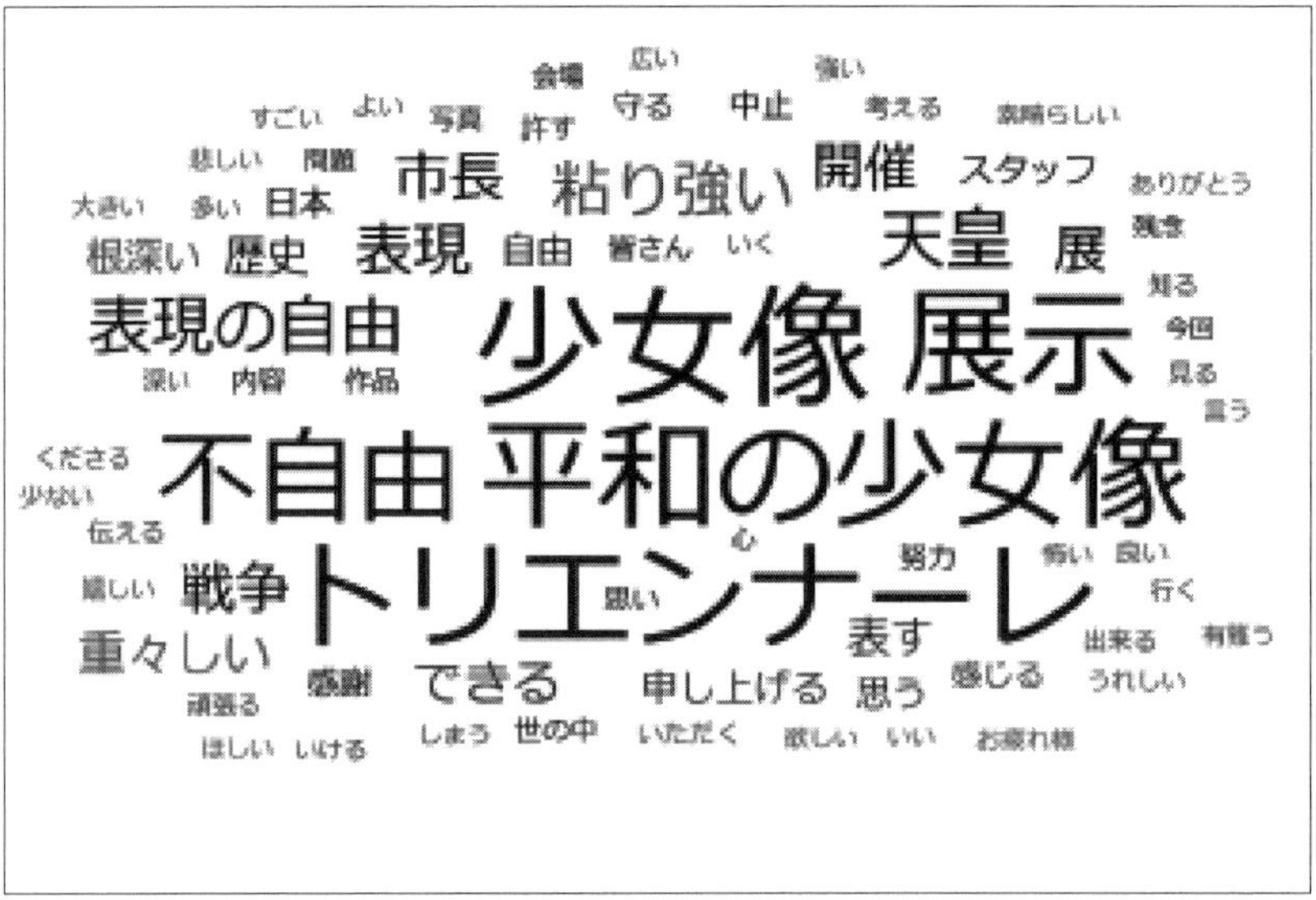
広い
会場
強い
すごい
よい
写真
許す
守る
中止
考える
素晴らしい
悲しい
問題
市長
粘り強い
開催
スタッフ
ありがとう
大きい
多い
日本
残念
根深い
歴史
表現
自由
皆さん
いく
天皇
展
知る
表現の自由
少女像
展示
今回
深い
内容
作品
見る
言う
くださる
不自由
平和の少女像
少ない
伝える
心
努力
怖い
良い
嬉しい
戦争
トリエンナーレ
思い
行く
重々しい
表す
出来る
有難う
頑張る
感謝
できる
申し上げる
思う
感じる
うれしい
ほしい
いける
しまう
世の中
いただく
欲しい
いい
お疲れ様

〈70 代〉

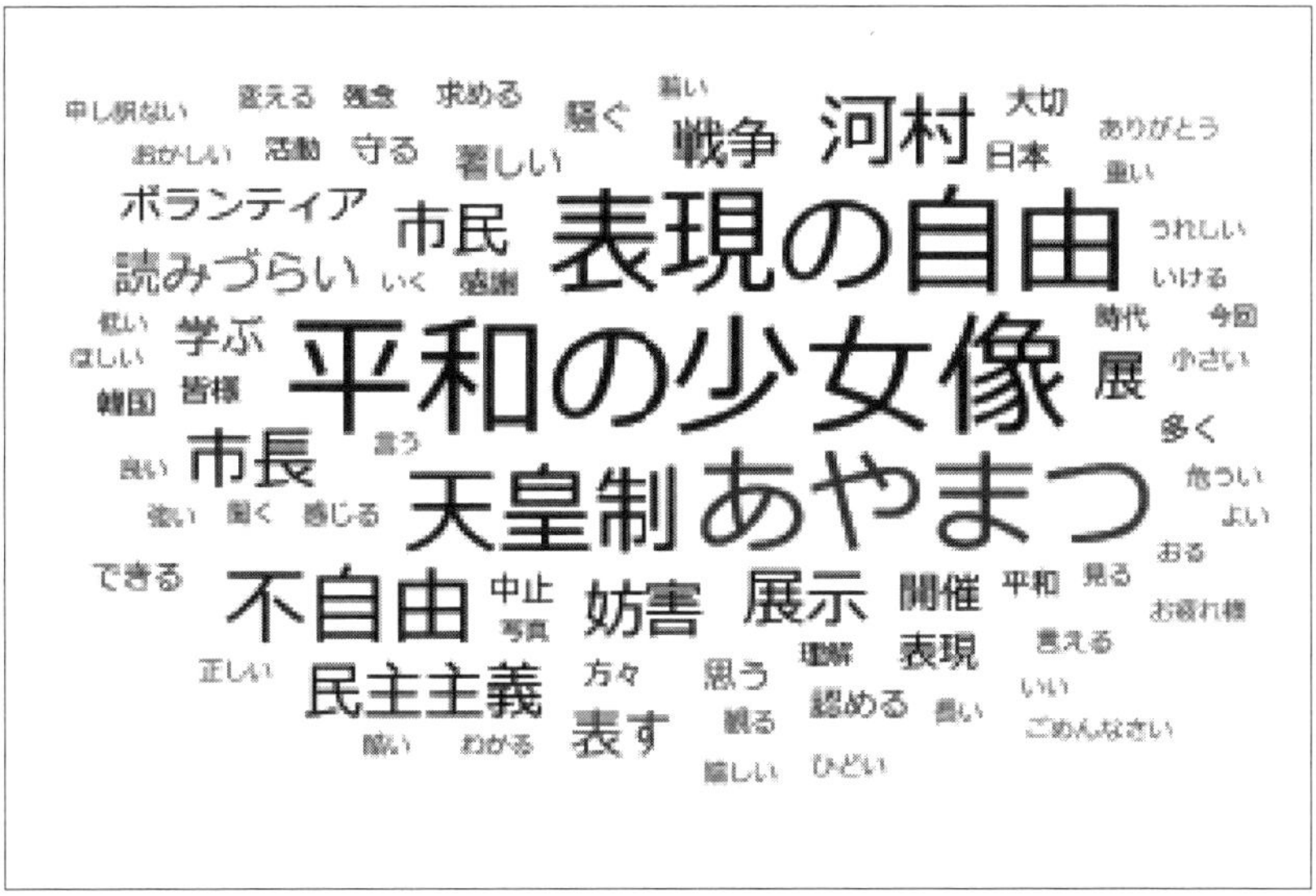
表現の自由
平和の少女像
天皇制
あやまつ
河村
戦争
市民
市長
不自由
妨害
展示
開催
民主主義
表す
表現
読みづらい
ボランティア
学ぶ
展
大切
日本
中止
守る
求める
騒ぐ
著しい
多く
できる
思う
認める
方々
時代
今回
韓国
平和
見る
ありがとう
うれしい
ごめんなさい
ひどい
わかる

III

「私たちの『表現の不自由展・その後』」に寄せて

市民による表現の自由回復の闘い

共同代表　中谷雄二

あいちトリエンナーレ2019の企画展「表現の不自由展・その後」は、開会3日にして中止させられました。私はこの事件に、「表現の不自由展・その後」実行委員会が展示再開を求めた仮処分事件の弁護団長として関わりました。政治家に煽動された暴力的な脅迫に屈して、表現行為の公開が中止されてはならないと再開を求め、仮処分手続きでの和解とトリエンナーレ実行委員会との協議により条件付きの再開にこぎつけました。これを実現したのは、不自由展の実行委員会メンバーの頑張り、表現を禁止された作家の闘い、それを支援する全世界のアーティストの結束と地元あいちを始めとした全国の市民の声と運動による力だったと思います。中止に抗議し、再開を求めて会場外で立ち続けた市民が、暴力的な脅しによって奪われた表現をとりもどそうと、「『表現の不自由展・その後』をつなげる会」（以下、「つなげる会」といいます）を結成しました。

「つなげる会」は、「表現の不自由展・その後」の妨害を煽動し、その後も歴史修正主義に基づく言動を繰り返す河村市長に公開質問状を出し、名古屋市のトリエンナーレ実行委員会に対する負担金を支払うよう求め、河村市長と高須院長が中心となって表現の不自由展開催を理由とした大村愛知県知事のリコール運動に反対する運動を展開しました。暴力的な脅迫によって中止され、観覧を希望しながら見られなかった市民の「見たかった」との思いを実現するため、「表現の不自由展・その後」とその再開を求める市民運動の記録の展示を中心とした「私たちの『表現の不自由展・その後』」の開催を企画し、２０２１年７月に実現しました。ところが、またも、会場に爆発物が送り付けられたという理由で、開始３日目にして会場である市民ギャラリー栄の休館を名古屋市が決定し、展示中止を強いられました。「つなげる会」は、再開要請を粘り強く続け、２０２２年８月、中止させられた市民ギャラリー栄で「私たちの『表現の不自由展・その後』」を無事開催し終えることができました。

「つなげる会」に結集して表現の自由を守り、その背景にある歴史修正主義と闘う市民の力は、見事に、一旦失われた表現行為を回復するために闘い切ったと思います。「表現の不自由展」をめぐる闘いは、東京・京都・大阪と連携し、市民の力によって妨害をはね除けました。それが大阪の不自由展の会場使用取消をめぐる大阪地裁・高裁・最高裁の決定によって、法的にも表現の不自由展に対する妨害が許されないことを確定させました。運動と法的な闘いが一体となり、全国の市民の力によって実現された表現の自由回復を巡る闘いは、極めて危険な情勢にある日本の現状を変革する闘いにとって、重要な教訓となる貴重なものです。この闘いに弁護士として、市民として関われたことを誇りに思います。同時に、この国に蔓延する歴史修正主義に基づく差別排外主義的言動との闘いを継続することの重要性を改めて認識しています。子や孫にこんな社会を残す訳にはいきません。

表現と暴力

共同代表　磯貝治良

おもろうてやがて悲しき鵜舟かな、とは鵜飼を見物しての芭蕉の感懐であるが、まがまがしくやがて気ぬけて茶番かな、というのが三年間にわたるあいちトリエンナーレ２０１９「『表現の不自由展・その後』中断事件」についてのぼくの感懐である。

ドラマで言うなら、シリアス劇で幕が開いて、ブラックコメディで幕が下りた、といったところか。

一方、市民の行動は熱い幕開けだった。メディアが言うところの「抗議」、じつは不審な郵便物などの脅迫による「暴力」に屈して中止（会場閉館）。再開を求める市民の行動は素早かった。有志による連日のスタンディングデモはまたたく間に人の輪を広げて運動へと発展。政治党派や組織母体を持たない発生の仕方と行動様式は、それまでの活動の基盤があったとはいえ、自発と自立／自律の運動を体現した。市民運動の執念と底力は三年間の時間と行動の空間を経て「私たちの『表現の不自由展・その後』」の再々開に結実する。かくしてドラマはもう一つのストーリー、民衆レジスタンス劇となって幕を下ろす。

ところで滑稽劇ストーリーのほうの主役は誰？　言うまでもなく河村たかし名古屋市長である。勧善懲悪の時代ものの役どころで言えば、悪家老。その家老に黄金色小判入りの菓子箱を差し出して、「おまえも悪よのう」と返される悪徳商人がのちにクライマックスで活躍する田中孝博・大村秀章知事リコール運動団体事務局長。重要な役どころの高須克弥美容クリニック院長はといえば、家老と結託する悪代官といったところか。

家老役河村市長の役柄がとても重要なのは、大坂藩の悪家老にそそのかされて「表現の不自由展・その後」の舞台に登場、難癖つけたのが脅迫・暴力の火に油を注いで終始、劇空間を動かすことになるからである。その意味で彼は唯一、出ずっぱりの主役と呼べる。

レジスタンス劇のほうにはヒーロー、ヒロインは登場せず終始、群衆劇の作りである。座付き作者を僭称しているぼくはといえば、その他大勢ないし群衆役、ということになる。ほぼ60年にわたって社会運動（反社会運動？）を後衛で歩きつづけきたので（拙著『文学の旅　ときどき人生』風媒社参照）、それははまり役であるが、この劇では気分が少し違った。アート分野は観る人であるが、売れないもの書きながら「ことば表現」をなりわいとしてきた。ヘイトスピーチ集団ザイトク会（在日特権を許さない市民の会）が名古屋市街に出没しはじめた頃、日刊紙に書いたぼくの文章に難詰をつけてその社屋で騒いだことがある。カウンター行動にも何度か参加した。それは個人的な事情であるが、運動とはいえひとりひとりの動機付けがエネルギーの源泉になることを考えれば、そのこともあってリキが入ったのだろう。

デモなど市民の意思表示にも影響を与える問題として、憲法を盾に「表現の自由」「検閲反対」などを軸に「大義」によって運動はたたかわれた。市民運動がスローガンを掲げて知的発想でたたかわれるようになったが、ぼくのアタマと身体には体制にまつろわない民衆の、諷刺精神、笑い、パトスに魅せられるところがある。というわけで笑劇の台本みたいな本稿になった。そして、植民地支配や侵略という加害の事実を忘却の闇に葬り去ろうとする歴史抹殺主義者やヘイトクライム愛好者とのたたかいが、市民運動の課題として残された。

拙文に「前代未聞の署名偽造事件—愛知県知事リコール問題」（『住民と自治』２０２１・６）がある。

憲法上の「表現の自由」と〝日本軍慰安婦〟問題

共同代表　長峯 信彦

権力によって「平和の少女像」や天皇コラージュ作品が事実上封殺されようとしたことで、「表現の不自由」問題は起こった。が、そもそもご存じだろうか、憲法21条は「集会・結社・言論・出版」に加え、「その他一切の表現の自由」を権力から保障しているという事実を。日本国憲法は戦前の反省から、9条はもとより、自由な表現活動を限りなく保障することによって、戦争・軍拡を防止しているのである。

憲法には随所に、戦争を予防するための仕掛けが組み込まれている。たとえば前文に明記の「平和的生存権」は、平和の問題を単に軍事力禁止というハードの問題からだけではなく、人権というソフトの問題として保障することで、両面から平和を貫徹させようとしている。一方、閣僚に軍人（武官＝自衛官）が就任できないように規定する憲法66条（戦前の軍部大臣の反省）や、靖国神社・国家神道と政治が決別すべく「政教分離」を明記した憲法20条も、その典型だ。また国民の知識や批判力の低下が戦争を助長したとの認識から、戦後国会に提出された日本政府の26条原案「初等教育（12歳以下）までの義務と無償」ではなく、「普通教育」（日本は15歳以下）までを無償の義務教育とするよう、中学（当時の青年学校）教師たちが粘り強く運動した。国会での修正が実現し現在の憲法26条になった背景には、まさに軍国ファシズムへの反省があった。

このように、日本国憲法はまさに「反戦憲法」なのである。個人の尊厳と人権、そして平和を最高の価値原理とするこの憲法の下で、〝日本軍慰安婦〟こそは、軍国主義と侵略戦争ゆえの深刻な人権蹂躙として、厳粛に受け止めなければならない問題である。決して日韓だけの話ではない。被害女性は中国・台湾・北朝鮮・インドネシア・オランダ・東ティモール等にも多数存在する。のみならず、アメリカ・EU・オランダ・韓国・カナダの国会（議会）からは非難決議も出ている。まさに国際的な人権問題だ。

しかも、国連の人権委員会（現在は人権理事会）からはクマラスワミ、マクドゥーガルといった公式報告書が出され、〝日本軍慰安婦〟強制は「人道に反する罪」と認定され、厳しく非難されてもいる。日本は女性の尊厳と人権にあまりにも鈍感すぎないか。表現芸術を通じてあらためてこれを世に問うことは、大きな意義と正当性があるのではないか。

かつてアメリカでは、国旗焼き棄てで有罪となった事件があったが、1989年・90年の二つの連邦最高裁判決で、「権力への抗議表現としての国旗焼却は表現の自由である」とされ、いずれも無罪となった。公道で火を使う大胆な国旗焼き棄てを「表現の自由」として憲法上保障したアメリカ。その意義は極めて大きい（現在も判例）。

日本は今までいつもアメリカの言いなり、且つ、事あるごとに国連を口実に、自衛隊の海外派兵・軍事活動を正当化してきた。しかし、そのアメリカが、その国連が、こういった判断もしているということを、我々日本は厳粛に知らねばなるまい。

不自由展に関わって、私は何と闘ったのか

弁護士　久野由詠

私が弁護士登録をしたのは２０１２年12月20日。その６日後に第二次安倍政権が発足し、そこからの数年間は集団的自衛権の行使容認や立憲主義破壊に反対したり、解釈・明文改憲に抗う活動や憲法学習会の講師を積極的に務めるなど、護憲運動に結構な時間を割いていた。当時は私も二十代後半、壊憲に対する危機感のみならず、ＳＥＡＬＤsなどの自分より少し若い世代への共感や連帯感、高揚感もあったと思う。しかし、新安保法制の強行採決による落胆、その他、人権活動や社会活動に手を広げすぎ&働き過ぎなどで体調を崩したこともあり、護憲・平和運動からは一定の距離を置き、貧困や格差の問題や若者の社会参画（注：上の世代による「若い力の搾取」ではない）に絞って力を入れるようになった。

日本の戦争加害責任や戦時性暴力、権力による表現の弾圧問題に関心がないわけではなかったが、自分から積極的に学びを深めたり、発信したり活動したりはしてこなかった。２０１９年のあいちトリエンナーレでの「表現の不自由展・その後」中止事件のときには、メンタル不調による休職の目前で正直ほとんど記憶がない状態で、客観的に見れば「無関心層」と変わらなかったように思う。

２０２１年の「私たちの『表現の不自由展・その後』」は、自由法曹団愛知支部のメーリングリストでの見守り弁護団募集を見て、たまたま空いていた同年７月８日の要員に応募したというもので、何かしらの「有事」が起こるなんて一切考えることもなく、当日出かけるときも本当に軽い気持ちだった。

そのため、8階会場に着いて早々「7階で爆破があった」「建物が封鎖される」「全員待避」と促されても従うしかなく、同日午前中の施設側との折衝は、その後かけつけた先輩弁護士や同僚（熊本弁護士）の後ろでやりとりのメモをとるくらいしかできなかったと記憶している。ただ、一切の情報が開示されず当事者である主催者の意見聴取もないままの急すぎる休館決定という権力による理不尽への義憤と、現場にいた法律家兼証人としてその理不尽を看過・容認できない気持ちとで、考える前に体が突き動かされていたような4日間だった。

そこからの約1年間は、その4日間の名古屋市の対応に対する義憤が原動力であることは確かだが、もうひとつ、今振り返ると、かつての「実質無関心な自分」「関心はあっても行動までは起こさない自分」に対する反省や贖罪の気持ちもあって、「責任を持って取り組む」と覚悟を決めたように思う。再開に向けた取組みの中で、他者の「無関心」に心が折れそうになることもなかったわけではないが、そのたびに、長年活動を続けている主催者の市民の方々や他の弁護士への敬意が深まり、「絶対に再開を実現してやる」との反骨心も強まっていった。

不自由展に関わって、私が闘ったのは、直接的には、ヘイトクライムやそれに屈するか便乗する権力だが、根本的には、それを許してしまう「社会の無関心（自分自身でさえもその一員だった）」ではないかと思う。今は、この反省を忘れずに、自分にできることを続けていかなければと戒めている。

法規範、それでもなお

弁護士　熊本拓矢

1　大阪地裁2021年7月9日決定は、2021年7月開催予定の「表現の不自由展かんさい」の会場（大阪府立労働センター）の利用承認を同センターの指定管理者（株式会社コングレ等）が取り消した処分の執行停止を認容した。

この地裁決定は、表現の不自由展wについて、「本件催物それ自体は、前記3（3）のとおり、本件センターの設置目的に反しないものであり、その内容等に照らすと、憲法上の表現の自由等の一環として、その保障が及ぶべきものといえる」（傍線引用者）と明確に述べた上で、次のように判示していた。

「本件催物を開催するには、これに反対する者による抗議活動等が想定されることについて、本件センターの職員等による適切なクレーム対応のほか、本件実行委員会、相手方指定管理者及び大阪府警察が、相互に協力した上で、本件実行委員会による自主警備、相手方ないし大阪府による警備、大阪府警察による警備等が適切に行われることが必要となるが、本件において、警察の適切な警備等によってもなお混乱を防止することができないなど特別な事情があるとはいえず、本件センターの管理上支障が生ずるとの事態が、客観的な事実に照らして具体的に明らかに予測されるとはいえない」

2　大阪高裁2021年7月15日決定は、地裁決定に対して指定管理者がなした抗告を棄却した。高裁決定は、地裁決定を相当として是認するにとどまらない重要な判断を示したものと思われる。

すなわち、高裁決定は、地裁決定の右記引用箇所を次のように変更したのである。

「本件催物を開催するには、これに反対する者による抗議活動等が想定されることについて、本件実行委員会、相手方及び大阪府警察が、相互に協力した上で、本件実行委員会による自主警備、抗告人による安全確保に向けた対応、大阪府警察による警備等が適切に行われることが必要となる……（以下省略）」。

3　一目では分かりにくいが、高裁決定は、地裁決定の①「本件センターの職員等による適切なクレーム対応のほか」との箇所を削除し、②「相手方ないし大阪府による警備」を「抗告人による安全確保に向けた対応」に変更したのである。

①の箇所の削除、その意図は2つ考えられる。

ひとつは、「広く住民に開かれている公の施設において、本件催物に限らず、何らかの表現活動や集会をするについては、常に反対意見が存在することは避けられない。かといって、その反対意見の表明そのものを禁止することは、逆の意味で表現の自由の制限となり得る」のであり（地裁決定）、不自由展に対するクレームもまた表現の自由であるから、クレームに対する公権力の「対応」を不自由展開催のために必要とすることは、表現の自由の保障と一貫しないということである。

もうひとつは、そもそも、公の施設での表現活動や集会に対する「クレーム」は「敵対的聴衆の法理」の適用に当たって、およそ考慮要素たりえないということである。「クレーム」及びそれへの対応といった程度のことは、いやしくも公の施設であるのならば、利用許可の判断において考慮することなどおよそあり得ない、ということである。私は、高裁決定の真の意図は、こちらにあると考える。

先の②の箇所の変更は、「警備」あるいは「安全確保」の責任主体とは、指定管理者（相手方）及び施設の設置者（大阪府）の2者ではなく、あくまで、施設を管理し、施設利用の許可権限を有している指定管理者ということである。その背後の「大阪府」という政治勢力（府知事等）を切断した意味は大きい。

4　市民によるクレームや市民によるテロリズムに忖度・萎縮する行政官や、それらを政治資源として利用することを虎視眈々と企む首長等の権力者によって、日々、市民の正当な表現活動や集会が抑圧・封殺されている。

その「暗い時代」のいま、次の闘いに備え、以上を備忘として記す次第である。

これからも手を固く握り、共に平和な世界を作るために

キム・ソギョン

こんにちは。

「平和の少女像」の彫刻家キム・ソギョンです。

２０１１年、「平和の少女像」を設置した後、熱くて暖かく、堅い志を持っているたくさんの人たちに出会うことができました。

特に日本中の正義感あふれる人たちとの出会いは多くの学びと感動を与えてくれました。

２０１２年、東京美術館での展示中におこった小さい少女像の撤去は２０１５年「表現の不自由展」企画者との出会いのきっかけとなり、平和を願う韓国と日本人だけではなく全世界の人々に出会える機会を作ってくれました。

そのきっかけは２０１９年のあいちトリエンナーレ「表現の不自由展・その後」を通じて、より大きな連帯が持てるようにしてくれました。

展示場の扉が閉ざされた翌日、名古屋の市民の皆さんが展示再開のためのデモをする姿はたとえ展示は出来なくても、私たちには大きな力となり、熱い感動でした。

このような経験は閉幕10日前の展示再開後、日本各地から展示を見に来られた方たちからも感じられました。列に並びカバンの検査や抽選といった不便さを甘受しながら展示を見る姿には尊敬の念も抱きました。

私は展示が終わったら、このような活動と抗議も終わると思っていました。

しかし、もっと強い気持ちで「表現の不自由展」が、日本各地でテロと脅迫を乗り越え展示することができました。このように展示を作っていく日本の皆さんの姿は平和運動家さながらでした。

尊敬する日本の平和運動家である皆さんの健康と無事を祈りながら、わたしもより固く手を握り、子どもたちの平和な世界のために共にすることを約束します。

心から深く感謝申し上げます。

名古屋の良心と希望

キム・ウンソン

2019年あいちトリエンナーレ展示への公式招待参加は大変意味深かった。あいちトリエンナーレは日本でも国際美術展という権威のある展示会で、世界的にも認められている展示会なので、参加作家としても光栄な機会だった。

特にあいちトリエンナーレ2019の企画展「表現の不自由展・その後」への公式招待には表現の自由を認める日本の国家としての位相を示す姿勢だったと思っている。

日本国民と日本の民主主義と創作、表現の自由という位相を世界的にも誇示する意味あるパフォーマンスで、過去の自分たちの戦争犯罪の歴史を振り返り、反省する契機になると思っていた。

展示が始まると多くの日本の市民が展示場を訪れ、作品を見て自由に話し合う場面は、今も目にありありと見えるようだ。

特に「平和の少女像」を見た皆さんの最初の一言が「反日像じゃないんだ、申し訳ない」。そして「平和の少女像」の空いた椅子に座り、ぎゅっと手を握り共感する姿を見て、「平和の少女像」の真実が日本の皆さんにも言葉がなくても伝わる瞬間を見て胸が熱くなった。

ところが、列に並び鑑賞する市民の間をかき分けて現れた河村名古屋市長の姿は平穏に作品を見ている人たちとは違った。展示場をきょろきょろ見回したかと思えば、外に出て反日銅像の展示を反対すると言い、あいちトリエンナーレ2019負担金を支払わないと記者会見をして展示会にプレッシャーをかけ、それから日本極右の攻撃が始まった。日本の表現の自由に対する期待と限界が如実に表れる姿が私の目の前で演出された。

しかし、それとは真逆にトリエンナーレ参加作家たちと展示場の外の名古屋市民たちの表現の自由を叫ぶ良心的な人たちが登場した。展示中止の翌日から市民たちは展示再開のための行動をはじめ、これらの行動は日本の良心を目覚めさせる美しい行動だった。希望は、こういうところからこういう方たちの行動によって成し遂げられると思った。

混乱の中で終わってしまった「表現の不自由展・その後」は、この後、名古屋の良心と希望によって再開されたが、コロナのため一緒にできなかったのが心寂しく残念だった。

このような話を書籍として出版する話を聞くと感慨無量の思いだ。

皆さんに尊敬と感謝の気持ちをお伝えいたします。

愛知県民が守る「表現の自由」

安《アン》世《セ》鴻《ホン》

２０１２年東京のニコンサロンでの「中国に残された朝鮮人日本軍慰安婦」展示が中止になる前までは、表現の自由の大切さについて考えたことはなかった。そして日本の多くの作家たちが右翼の攻撃や見えない力によってこのようなことを経験しているということを知った。

２０１９年国際的に知名度のあるあいちトリエンナーレ２０１９の企画展「表現の不自由展・その後」展示がまた中止され、日本の多くの人たちが懸念を示したが、その現場にいち早く駆けつけてきたのは愛知県民たちだった。毎日、愛知県美術館前でスタンディングを続け、河村名古屋市長による政治の関与への抗議など、市民たちに問題の真実を伝え、展示再開のために力を尽くしたことによって展示は再開できた。

その後、「表現の自由」は市民の力によって守られ、日本国内にある日本軍慰安婦、天皇制の問題についても知ってもらいたいという愛知県民の意思が実り、２０２１年名古屋での「私たちの『表現の不自由展・その後』」につながった。市民自らが展示のための組織を作り作品を集め、表現の場である展示空間を守っていくべきだという草の根民主主義の思いは私と一致していたので、依頼があった時、なんの躊躇もなく参加することにした。そしてコロナのせいでソウルから出られない状況において作家として展示について意見を出し、横断幕を制作して送るなど、愛知県民と共にしたい気持ちをわずかながらも表現した。再び右翼の攻撃によって展示が中止されることになったが、これに屈せず愛知県民は１年間の徹底的な準備によって２０２２年には安全に展示を終えることに成功した。参加作家としてとてもうれしくやりがいのある出来事であった。

展示される作品が一部の人たちと意見が異なることを理由に、圧力によって中止されるのであればそれは作家だけの被害ではない。展示中止によって被写体の声が観客に伝わらなくなり、観客は知る権利を奪われることになる。表現は作家の役目であるが、それを守って共感することは市民の役目である。これによって表現の意味を生かし、みんなが通じ合うことになる。作家と市民が共にすることによって表現の自由が守っていけることを再び証明してくれた展示会だった。

あいちトリエンナーレ２０１９「表現の不自由展・その後」を振り返る

大浦信行

※以下の文章は電話インタビューにもとづいて作成した文章を大浦信行氏が一部修正・加筆したものです。

（編集部）

あいちトリエンナーレ２０１９「表現の不自由展・その後」は企画としてとても良かったと思う。今、世界中で地球の問題、ＬＧＢＴＱの問題、貧困の問題を美術が取り上げている。

ただし日本では社会的な課題や政治性の強いテーマは取り上げない。そのようななかで「表現の不自由展・

その後」ができたのは、実行委員会が美術の専門家だけではなかったからだと思う。昔江古田のギャラリーでやった時にはあまり大きな問題にはならなかった。あいちトリエンナーレでやったから大きな話題となった。

しかし「表現の不自由展・その後」の企画意図や意義を理解できない検証委員会のずさんでデタラメな「検証」など、おおよそ美術や芸術とはほど遠い表現規制がまかり通ってしまったことは問題だった。ただそのなかでも、社会的な課題や政治性の強いメッセージも含めて自らの表現をしようとハッキリと自覚した作家もいたのではないかと思う。自分はむしろハッキリともっとやってやろうという気持ちになった。

映画「遠近を抱えた女」はあいちトリエンナーレ２０１９の企画展「表現の不自由展・その後」の出来事以来、もう上映できないだろうとあきらめていた。もちろん現実の運動で上映できるようにすることも大切だが、想像力と表現も大切。だから「遠近を抱えた女ＰａｒｔⅡ」を制作した。

前回は燃えているからダメということだけど、作家はそれには負けない。じゃあ次のをやってやろう、ということになる。そういうアイディアというか考えは自然に浮かんでくる。

「遠近を抱えた女ＰａｒｔⅡ」はこの夏に作品が完成した。来年1年は海外の映画祭で上映して、それからその後のことを考えたい。

表現の不自由展・東京

表現の不自由展東京　実行委員　岡本有佳

２０２２年４月、「表現の不自由展・東京」は１６００名の観客を集め無事終了することができた。２０２１年、ネット右翼らによる怒号妨害で、開催を予定していた私営ギャラリーから「もう貸せない」と言われた時には大きな打撃を受けたものの、ネット右翼から集中攻撃を受け、警察も守ってくれないことに消耗したオーナーの姿に返す言葉も見つからなかった。しかし、表現者たちの奪われた発表の場、そして私たちの鑑賞の場を作るためにこそ活動してきた私たちが、開催のために計画を練り直し始めたのは２０２１年夏だった。まずは①しっかりした弁護団を作ること、②念入りな会場選び（大阪と自分たちの失敗から学び、公共施設を選んだ）、③施設側・行政・実委（弁護士立会）と３者による協議を継続すること、④施設のある地元の市民の協力を得ることなどを目標に、９月には国立市市民芸術小ホールに申し込みを終えた。

「法的に利用取り消しができないことは承知している」。同ホールと表現の不自由展・東京実行委員との初会合の席で、同館長はこう口火を切った。この瞬間、私はスタート地点が変わったと実感した。言うまでもなく、大阪展の施設利用承認取り消しに対し、実行委が提訴した結果、大阪地裁は憲法と地方自治法の趣旨を正しく捉えた決定を出してからの言葉だった。

その後、地元市民とのネットワークを注意深く作りながら、三者協議もなんとか順調に進んでいった。議事録ありの３者協議を実現したことで施設・行政側が一方的に利用中止を決定することを回避できたのは大きな成果だった。

告知の時期も重要な案件だった。議論の末、開催1週間前とし、記者会見で発表すると同時に事前申し込みの受付を開始した。その後、開催2日前の3月30日、国立市がホームページで「考え方」を公表した。〈アームズ・レングス・ルール（誰に対しても同じ腕の長さの距離を置く）〉の考え方で〈施設利用は、内容によりその適否を判断したり、不当な差別的取り扱いがあってはなりません〉と表明した。さらに終了後には、〈反対するグループ等がこれを実力で阻止し、妨害しようとして紛争を起こすおそれがあることを理由に利用を拒むことは、憲法二一条の趣旨に反する〉と発表した。こうした見解を開催前に公表した市長に敬意を表したい。

今回の展示は、あいちトリエンナーレ２０１９の企画展「表現の不自由展・その後」で展示中止を強要された作家の作品たちと、それ以前から検閲や圧力と闘ってきた先達の作品を合わせて16作家の作品を展示した。詳細は不自由展ホームページを見てほしい。図録も販売中である（https://fujiyuten.base.shop）。

「国立市で不自由展が開催され、私は市民として誇りを持つことができ、感謝です」などの来場者の感想は会場出入口にたくさん貼られた。最も多かったのは、「この程度の表現を規制しようとする社会には恐怖を覚えます」などで、日本での検閲・規制の状況を可視化するという本展の狙いを鑑賞者が受け止めていることがわかる。

これと同数だったのは、《平和の少女像》にやっと会えたというものだ。「少女像がふつうに街にある光景を見たい」「隣に腰かけたら涙がとまりませんでした」「少女の痛みは全女性の痛み」「実際に出会わなければわからない」など、どれも実際に見ることがいかに大切かを裏づける感想だった。

今日に続く悪質な妨害行動が顕在化した国際芸術祭「あいちトリエンナーレ２０１９」から5年。ヘイトスピーチや性暴力的表現などをする者たちによる「表現の自由」という詭弁が成り立たない、双方向の交流と情報の伝達の〈場〉が保障された「表現の自由」を守っていきたい。

※『表現の不自由展からの挑戦〜消されたアートと対話する12のヒント』2024年刊行（梨の木社）

「表現の不自由展かんさい」が勝ち取ったもの

表現の不自由展かんさい実行委員　平井美津子

2021年7月16日から18日までの3日間、エル・おおさか（大阪府立労働センター：以下、エル）を会場に、「表現の不自由展かんさい」（以下、「かんさい展」）を開催し、延べ1300人が会場を訪れた。

「かんさい展」は、表現の自由を取り戻すために自然発生的に集まった7人が実行委員となって開催した。ヘイトスピーチがあふれ、寛容さが失われるこの国の排外主義に問題意識を持ち、抗ってきた有志たちだった。「かんさい展」を成功させることで、この不寛容な社会に新しいうねりを起こしたいという思いからだった。

2021年3月、実行委員は会場のエルに正式に申し込み、準備を進めていたところ、6月25日、エルから会場使用取消しの連絡が入った。理由は抗議電話やメール、街宣が「センターの管理上支障があると認められる」（労働センター条例　第4条　2、6）というものだった。実行委員会は6月30日に、原告となって指定管理者を相手取り処分取消の本訴を大阪地裁に提起すると共に執行停止の申し立てを行った。

吉村知事は記者会見でエルの「取り消しに賛成」と表明し、「極めて不快に思う人がたくさんいるのも事実で、安全な施設運営に支障が生じる可能性がある」などと発言した。

7月9日、大阪地裁は、「警察の適切な警備等によってもなお混乱を防止することができないなど特別な事情があるとはいえない」とし、執行停止決定の結論を出した。7月12日、指定管理者は、大阪高裁に即時抗告を行ったが、7月15日、大阪高裁が指定管理者の即時抗告を棄却し、一審判決を支持した。すぐに指定管理者は最高裁に特別抗告したが、開催初日に最高裁はそれを退け、施設の使用を認める判決が確定した。

7月16日、「かんさい展」は大阪府職員や警察官が大量に動員される中で開幕した。会場の外では街宣右翼が大音量で車を走らせ、ヘイトスピーチが白昼堂々と行われる一方、エル側の道路では、街宣に対して無言でじっと「表現の自由を守れ」「ヘイトをするな」などプラカードを掲げ、会場に妨害勢力が入ってこられないように踏ん張る市民たちの姿があった。

爆竹のような物も送られてきたが、会場に届くことを防ぐことができたことで、7月18日16時、「かんさい展」は閉幕した。

大阪で開催できた要因は、一つ目は会場側の取り消しに対し、裁判闘争という形で司法によって勝利を勝ち取ったこと、二つ目は警察などへの対応を要請し、危険物が送られてくることを阻止できたこと、三つ目は、「かんさい展」を成功させるために自発的に集まった多くの市民との連帯があったことだ。四つ目は、実行委員のみならず参加した多くの人びとがしっちゃかめっちゃかしながらも楽しみながらイベントに取り組んだことだろう。

「かんさい展」の裁判での判例が、その後の「不自由展」の開催を保障した。権力者が見る者の自由・作品を作った者の自由を奪おうとした行為を司法は許さなかったのだ。「かんさい展」の大きな意義と言える。「かんさい展」の開催を成功させたことで、自由を奪おうとする暴力に抗う市民の姿を示せたことを誇りに思いたい。そして、妨害もなく、闘わなくても、不自由展の作品が自由に見られる社会を作りたい。

表現の不自由展ＫＹＯＴＯ２０２２に関わって

表現の不自由展ＫＹＯＴＯ２０２２ 実行委員　**北野ゆり**

２０１９年8月24日、あいちトリエンナーレ２０１９の華々しい会場に隣接する公園では、開催直後に展示が封印された「表現の不自由展・その後」の再開を求める集会が市民の手で粛々と行われていた。展示が中止になった作品の作家自身も時折姿を見せるその空間で「平和の少女像」の作者、キム・ウンソンさんソギョンさんの声を間近に聞いた。「平和の少女像は平和の象徴であって反日の象徴では決してありません」「表現の自由があるから民主主義が完成できるとおもっています」。日本語に訳される言葉ではあるけれど、そこに居合わせることのできた一人として、京都でも「平和の少女像」に直接会える展示をしたいと思った。展示したいと思うであろう何人かの顔がよぎったのをよく覚えている。

展示の話が現実となったのは２０２１年2月のことだった。連絡を受けてすぐに複数の人に繋ぎ、一本化して進んでいくように見えたのも束の間、或る会の内部から懸念の声が上がった。「会場や子どもたちの安全を担保できない」「騒ぎは相応しくなく、汚点になる」。日本の戦争加害を追究することを趣旨とする活動の、むしろ「汚点」となるであろう無自覚な発言に目眩がした。その年は順調に見えた名古屋展が威嚇目的の郵便物で会期半ばで中止、かんさい展は直前に「会場の安全が図れない」という理由で大阪市から会場使用不許可が出され、裁判となった。開催が危ぶまれる中、京都は別会場になっても、会場を伏せてでも、展示だけはしよう、この一線だけは守ろうと女性4人で手を取り合ってのことだった。

その翌年、各地と共に京都では改めて「表現の不自由展KYOTO2022」と実行委員会を立ち上げて取り組むことになった。名古屋で市民があいちトリエンナーレ2019会場の横で声を上げていたように、毎月、市内中心に街頭でスタンディングをしてきた美術関係者のグループが参画し、主に展示を担うことになる。実行委と会場、京都市側とは「美術展として静謐な環境で鑑賞できることを目指したい」という一致点を認めたものの、会場使用の調整要件に半年ほど費やすことになる。会期一週間前の週末の早朝、どこからか漏れて（恐らくは会場の予約サイトと指摘を受ける）会場周辺は大型の街宣車が抗議に集結するという騒ぎになった。そうなるともう現実を受け止めざるを得ない、腹を括ることになったと振り返ってそう思う。（※原則は大型街宣車による大音量の取締りは警察の職務で肯定するものではない）。開催当日、祇園祭の警備を超える数の警察官によるバリケード封鎖と交通渋滞、大型の街宣車の罵声、上空のヘリコプター音、微かに音の入る会場受付を見回って、出てきた外の喧騒は超現実だった。午前中に浴びたスコールのせいか汗なのか分からない湿気を纏ってほぼ終日いたはずなのに、本当に一瞬だったと感じる。騒ぎに開催を知って並ばれた近隣の方との会話を思い出すと、予約なしで入ってもらえる少しの機転と余裕があれば良かったのにとまた反芻する。

不屈の「表現の不自由展」に寄せて――沈黙強制のない社会へ

志田陽子　武蔵野美術大学教授・法学（憲法、芸術関連法）

法的な「表現の自由」の問題だったのか

「表現の不自由展」は、さまざまな妨害と苦労、そしていくつもの裁判も経て、ようやく開催が成立するようになってきた。この間の歩みについて、企画展を続けてきた人々にはどれほどの苦労があったかと思う。それにしても、こうした展示会を成立させるために、ここまで苦労をしなくてはならない日本社会とは何なのか……。その異常さを一連の「表現の不自由展」は繰り返し、倦むことなくあぶり出してくれた。

「表現の不自由展」は、これまでに美術館やギャラリーでの展示を拒否されるなどして、表現発表の場を失った作品を集めた企画展だ。２０１９年の国際芸術祭「あいちトリエンナーレ２０１９」での展示では、慰安婦を連想させるような少女像や天皇の肖像写真が使われているコラージュ作品が含まれていたことなどから、脅迫を含む激しい抗議と妨害が起き、展示の一時中止に追い込まれた。しかしその後、この「表現の不自由展」は市民の手によってリレーされ、韓国や台湾、東京、名古屋、大阪で次々に開かれてきた。海外での展示が抗議と妨害を受けたという話は聞かないが、日本国内での展示はどれも、抗議と妨害がついてまわった。

選ばれた作品群の中に、刑法上の「わいせつ」規制や自治体条例上の「有害」表現に当たるもの、他者の権利を侵害しているために民法上「不法」となるものは含まれていない。だから、法学を専門とする筆者から見れば、この企画展が（社会の一部から理不尽な過剰反応を受けることは世の中にありうることだとしても）少なからぬ公人から攻撃的な指弾を受け、「表現の自由の限度を超えている」との的外れな批判まで浴び、結果的に「表現の自由」を問う社会問題になったことについては、首をかしげるばかりだった。

今、「結果的に「表現の自由」を問う社会問題になった」と書いた。これは法的に見ての話だ。作家や企画者にとっては、もともと覚悟をもって「表現の自由」を問う企画なのだから、これに対する攻撃や障害は、「表現の自由」への攻撃だと受け止めるのは当然だろう。しかし法的には、「これは「表現の自由」の限界か」という論点を立てて作品の良し悪しや展示方法の巧拙を吟味する（あげつらう）必要のある問題ではなかった。どういうことかというと、法的に見れば、適法に成立した事業が適法に行われているとき、違法な妨害を受けずに活動する自由が活動者の側にある。業務妨害や脅迫を受ければ、この妨害を排除する権利があるのは当然で、そこには芸術展であれ物産展であれ公共交通機関の運行であれ、違いはない。「芸術に名を借りて特別扱い（公の場を使うなど）をしてもらうに値する作品か」といった非難や論点立ては、本来は必要なかったのではないかと思われるのだ。

とはいえ、結果的にこの件は「表現の自由」を問う大きな社会問題となった。そこで筆者はまた躓いてしまった。作品の解釈はさまざまにあるだろうし、その中には作品の政治的意図を強く読み込む解釈、作者の主観的意図を離れた解釈もあるだろう。しかしそれは社会のほうで議論の材料にすればいいことである。ところが、「表現の不自由展」の作品に限って、作者や企画者が語る作品意図は驚くほど無視され、これを「けしからん」と言う側の人々の政治的解釈が社会に共有されていく。「思想の自由市場は何処へ行った」「解釈の自由も「表現の自由」のうちではないか」と首をかしげざるを得なかった。

そして、その状況を前提に、「そうなることはわかっていただろうに」という批評があちこちでささやかれる。筆者が講演などを通じて知り合った当事者の方々の談話の中には、警察からもその言葉を言われた、との経験談もあった。それは法学を専門とする筆者には採れない視点である。適法に成立している活動が違法な妨害を受けているなら、違法な妨害を排除すべきで、過去にそうした妨害を受けた活動であっても、「今度こそ、その活動を平穏にやらせてもらえる時機が来たのでは」との期待を持ってその活動を繰り返す資格・自由は誰にでもある。日本社会はなぜ、「そうなることはわかっていただろうに」という思考を「分別ある思考」として共有してしまうのだろうか…。仮に、世間の空気に合わないものは「自由」の限界＝「準違法」とみなして排除してよい、という発想が社会の中にあるのだとしたら、この発想は、「自由」とはもっとも相いれないものである。

「表現の不自由展」に向けられた非難の中には、「このようなものに公金を使っていいのか」という内容が多く含まれていた。これに応えるための法学的な応答は筆者もさまざまなところに書いたが、これも本来であれば、つまり文化庁が一時的にせよ補助金を不交付とする決定をしたりしなければ、立ち入る必要のない論点だったのではないか。

法的な「表現の自由」として考えるなら

そうは思いつつも、この問題は「表現の自由」の問題となっていった。そこで筆者も、「表現の自由」の論理に沿ってこの問題を考察し、いくつかの媒体に筆者なりの答えを書いた。共通する論旨は以下のようなものである。

――表現をする側に「表現の自由」があるのと同じく、それを見る側の人々にも、展示された作品を批評・批判する自由がある。しかし、そのときに、批判者と批判の対象とが同じ土俵にいられることが、「表現の自由」の大前提だ。怒声や脅迫文で当事者や関係者に恐怖を与え、表現者を「出展できない」状態に追い込んで中止を余儀なくさせることは、「言論」の一場面としての批判や抗議ということはできず、限度を超えた「暴力」であり、法的に認められない。業務妨害や脅迫など、警察によって抑えてもらうべき行為は抑えてもらう資格が表現者の側にあるし、平穏生活権への侵害など、民事で損害賠償を求める資格も、表現者の側にある。

芸術や文芸の役割は、その時代の常識を疑い、人間や社会の本質、とくに日常会話の中では出にくい本質を問いかけることにある。多数派から見ると不快で、常識に反すると感じるものもあるかもしれない。しかし、作品に違和感を持つ人も含めて、その刺激によって議論が起きることは、市民社会を活性化し、強めることにつながる。これまで不可視化されてきたものに、真摯な光を当ててみることは、芸術や文学や報道、そして学問に託された役割である。見たくないものを問答無用に封じるということを繰り返せば、社会が弱体化していく。これは社会自身にとっての損失ではないだろうか。

批判と排除は異なる。批判は作品を見た上でないと成り立たない。さらに、批判に対して反論する自由や、周囲の者がその批判の正しさを吟味するためにその作品を見る自由も確保されていなくては、フェアではない。

2022年4月には、東京都国立市のくにたち市民芸術小ホールでも「表現の不自由展」が開かれた。街宣車や拡声器を使った抗議活動はあったが、この展示会は厳重な警戒の上で全日程、実現した。2021年の展示会開催が結局不可能となった名古屋でも、2022年になってようやく開催が実現した。

この展示会が行われた直後に、国立市は「くにたち市民芸術小ホールで開催された展示会に関する市の考え方について」と題した見解を公表した。「反対するグループなどが…紛争を起こすおそれがあることを理由に利用を拒むことは、憲法21条の趣旨に反するところとされています」との見解である。

この「されています」といった書きぶりは、どこか主体的でないというか、判断責任を正面から引き受ける姿勢ではないような印象を受ける。しかし、それでよいのである。国立市やくにたち市民芸術小ホールは、

「表現の不自由展」の各作品を「良い」と評価し、特別なコミットメント感覚をもってこの開催を引き受けたわけではなく、「公の施設」の管理者として公平中立な立場から、利用者の申し込みに基づいて、公共の場所を貸している。その人（公務員）の好みや評価とは無関係に、法に基づいて中立的に仕事をすることが重要なのであり、そのための基準を示すことが、法と裁判所の役割である。こうしたときに、「法の支配」の意味が現れる。

筆者は、「当該の作品群に共感し価値を感じるから擁護する」と述べるよりも、こうした「法の支配」の観点から「表現の自由」を擁護することのほうが、強い擁護になると考えている。なぜなら、前者の観点からの擁護は、価値観の異なる人、「表現の不自由展」の作品群に価値を感じない人に対しては何の効力もないことになるが、後者の観点は、そうした人々やこれらの作品群に批判的な人々にも共通する、より基盤的なロジックになるからである。そのため、筆者は前者ではなく後者の論法をとっているが、この点で、当事者の方々に対して冷たく見える表現があったら、お許しを願いたいと思う。

法的判断に「表現の自由」の重要性を組み込んだ判決

この件では、2021年7月、「大阪府立労働センター（エル・おおさか）」での「表現の不自由展かんさい」に関する裁判が、この問題に大きな影響を与えた。国立市もこの判決を見て見解を書いたに違いない。

2021年、大阪では、安全配慮のためとして、市民ギャラリー施設の利用承認が取消されたが、これに対して展示主催者がこの利用承認取消しの処分は違法であるとして、この処分の取消しを求める訴えを起こした。これを受けた大阪地裁は、施設の使用再開を認めた。これに対する会場側の抗告を高裁、最高裁が退け（大阪高裁令和3・7・15決定、最高裁令和3・7・16決定）、展示会は短期間ではあったが予定の期間内に実現した。

大阪地裁が7月9日に出した「決定」は、原告側の訴えに「緊急性」があることを認めてのものだった。それによれば、「正当な理由」のない会場閉鎖は、企画展主催者に回復困難な「重大な損害」を与える。警察によってでも抑えられないような事態が起きているならば「正当な理由」と言えるが、大阪の会場でそのような事情は認められない、との判断である。これに続く高裁、最高裁も、会場側の抗告を異例の迅速さで退ける決定を出した。つまり裁判所は、民事訴訟で事後的に損害賠償請求をするべき、という姿勢を取らず、今、権利救済に向けた判断をすべきだ、と判断したわけである。ここで裁判所は、「緊急性」を認める判断の中に「表現の自由」の重要性を組み込んでいると言える。

そして、ここで会場使用許可を取り消すのもやむなし、と言えるほどの「正当な理由」があるとしたら、それは警察によってでも抑えられないような事態が起きているような場合、ということになる。民間のギャラリーと違って、「公の施設」（地方自治法244条1項）の場合は、この状況に漫然と怯えているのでは、《公》の仕事とは言えない。このような場合にまず重要なのが、警察との連携である。このケースでの大阪地裁・高裁の決定は、警察に適切な助力を求めることを示唆している点で、いわゆる縦割り行政を超えた対処可能性について勘案しており、この点には泉佐野市民会館事件最高裁判決（最高裁平成7・3・7判決）などの先例を踏まえつつ、先例の法理をより具体化した点で、意義のあるものといえる。

これらの判決は警察の姿勢にも影響を与えているようである。裁判所の決定が確定した後の大阪展示会場でも、くにたち市民芸術小ホールでも、警察の警護はかなり真剣なものだった。市民やメディアが注目しているということも影響していたかもしれない。

沈黙強制を超えて

上記判決の言う「損害」は、裁判上は、企画展主催者の損害かもしれない。しかしこの問題の社会的なリーチはもっと広い。世間の空気に合わないものは権利保障の番外地とみなしてよいのだ、あるいは有力な著名人や公人が指弾発言をすればその指弾を受けた作品や表現者は権利保障の番外地に置かれるのだ、と大勢が思ってしまっている、こういう社会の傾向が野放しになることの「損害」も考えてみると、この分母の上に乗っている問題は無数にある。

現実の社会は、面倒なもの（こと）は見なかったことにしたい、という劣化方向に流れやすい。それが同調圧力となり、「沈黙強制」にもなっていく。とくに自分たちの負の歴史については、そういう流れが起きやすい。しかし負の歴史に向き合い乗り越える作業を「不断の努力」（憲法12条）の中に組み込む覚悟をしなければ、私たちは今後も足腰の弱い、劣化した社会しか作れないのではないか。そこに一石を投じるのが、芸術や文学、学術的研究やジャーナリズムであり、その意味を理解して支えることのできる市民である。権利保障の番外地は、いろいろなところに起こりうる。それが起きてしまったとき、「それはおかしい」と声をあげ、状況を倦まずに見続ける市民の目が必要である。さまざまな沈黙強制を乗り超えて、「表現の不自由展」をそのような姿勢で支え続けてきた人々に、あらためて敬意を表したい。

Ⅳ

3年間をふりかえって
――ふたつの座談会

つなげる会・弁護団座談会

つなげる会事務局座談会

◉「つなげる会・弁護団座談会」

立場は違っても同じゴールを目指して

4月12日、2021年7月の中止事件から、2022年の開催まで、名古屋市と交渉にあたった、つなげる会の高橋良平、山本みはぎ、神戸郁夫と、弁護団の久野由詠、熊本拓矢、郭勇祐が交渉を振り返って、交渉で獲得したものや問題点、展示会開催の意義などを語りました。司会は、つなげる会の近田美保子です。

弁護団自己紹介

司会・近田美保子（以下、近田）　弁護士の方の自己紹介と不自由展に関わった動機をお聞かせください。2年間は長かったですか?

久野由詠弁護士（以下、久野）　2021年の7月8日、郵便物から破裂音が起こったときに、たまたま見守り弁護団としてその場にいたのがきっかけです。中止にさせられた不合理さを肌で感じて「このまま絶対黙っていられない」というのと、市が休館を決めそれを継続したことは、絶対に憲法に違反するという確信があったので、このままでは終われないと思い、その後も引き続き関わってきました。

熊本拓矢弁護士（以下、熊本）　憲法の問題や表現の自由の問題に非常に関心がありました。2019年の不自由展のときには参加できず非常に悔しかったということもあって、2021年のときは見守り弁護の要請があったので、これはぜひ参加したいなと思って参加をしました。
もともと大学の学部生の頃から慰安婦問題には関心を持っていて、韓国のナヌムの家に1週間くらい泊り込んだことがあって、不自由展には関わりたいと思いました。

郭勇祐弁護士（以下、郭）　自分自身が日本で生まれた在日朝鮮人という属性を有するもので、日本と朝鮮半島に関わる歴史問題は、歴史認識に基づかないといつまでも解決しないというのはありますし、日本に住む在日朝鮮人も歴史の認識がきちんとされていない中で、昔からヘイトクライムはあったけれども、より過激になっているという現状があると思うのです。そういう観点から「平和の少女像」であるとか、日本軍慰安婦のハルモニたちの写真を展示して発信するという活動は大事だなと思っていました。
「表現の自由」というのは大変重要な権利で、結局それが弾圧されてしまったら、もう何でも政府の都合のいいようにしか認識がされないという問題点もあると思います。「表現の自由」という観点からも、歴史認識は大事だなと思いました。

久野　2021年のときは同じ事務所の後輩である熊本弁護士が、ヘイトの問題を事務所の中で一番頑張っていたので応援したいという気持ちもあって参加したんです。中止事件に巻き込まれたのは思いがけなかったんですけど。
展望としては訴訟をやるしかない、市の不当性を司法で明らかにしたいという気持ちもありました。だから大変だったとか、もう辞めたいとか、そんなことは全く思わずに、ずっとアドレナリン出っ放しみたいな状態で、すごく充実していたと思います。

熊本　長いという実感はあまりないですね。
2021年7月に中止させられて、今でも覚えていますけど、現場で宮田館長とかと話をしたときに、「やるんです、私たちはやりますから、早く再開させてください」とそれ以外に言うことがないという話をしたんですね。そこで決まったというか、やるという以外の選択肢はない、その決意、考えで交渉を集中的にした。あそこが原点というか出発点ですね。交渉は実らなかったけれども喰らいついてあきらめなかった。それが原動力になったのではないかと感じています。

郭　もし裁判になったら長引くので、それはもう覚悟の上でした。事務局ではなかったので、二人に比べたら負担もなかったんですけど。

歴史認識の問題は大学生のときから普通に取り組んでいた問題だったので、弁護士であろうがなかろうが、こういう問題があったらそもそも一緒に取り組もうと思っていた分野なので、僕的にはそんなにこれに携わるのにハードルはなく、当然やるという感じでした。

交渉にあたっての心構えは

近田　「事業団・名古屋市・警察との交渉を振り返って」というところで、損害賠償とか裁判をどうするかが議論になりました。皆さん自身が交渉の矢面に立ってどういう心構えで、何を感じたかをお話しください。

高橋良平（以下、高橋）　2021年7月9日に大勢の市民で市に詰めかけたとき、市としては「危険性については評価ができないが、こういう状況だからやむを得ない」と言っていたのですね。それに対して市民がむちゃくちゃ追及してすぐに再開させろと言った。弁護団としても言ってくれたんです。東京の岡本有佳さんが「交渉のアポイントを取りなさい」とアドバイスをしてしっかりと交渉を持てた。

4日間の一番のポイントは「本市の考え」という文書を引き出したことだと思います。弁護士と市民と東京からの応援があってこの文書を引き出した。文書の中では危険性について評価しているんですね。12日にはもうあそこ（市民ギャラリー栄）は再開しているんですね。

大阪の最高裁判決の関係があったので基本的にはやらざるを得ないだろうと、断る理由はないだろうと思って、最初に話し合いで謝ってくると思ったんです。第1回目の交渉のときに徳永文化振興室長は、「危険性については判断できないというのは現在もある」と言ったんですね。ダブルスタンダードで、市としての見解と徳永室長が言っていることは違う。差し迫った危険性がなくなったから再開についての協議をする、というのが合理的な判断だけれども、徳永室長は、「差し迫った危険性についての判断はいまだにできない」と言っているものだから、正直、混乱したというのが当初の私の率直な受け止めです。

久野　交渉に臨む姿勢の前提として、4日間の中止継続という判断は、司法で争ったら勝てる余地があると思っていましたので、憲法上誤った判断をしたということを明らかにさせたいという気持ちは一方でありました。

他方で、つなげる会と弁護団では、再開させることが何よりも大事だという意見や、裁判を起こして闘うとの世論への影響を運動全体として考えていかなきゃいけないという大きな視点での意見がありました。

私も含め他の弁護団員からは、「再開できたらそれでよし」としてしまっていいのか、〝暴力に屈してしまった〟という妨害者側の成功体験にさせてしまうことへの懸念もあり、そこは大きく葛藤した部分ですね。

何かあれば訴訟を辞さないという考えがあったからこそ、交渉では一歩も引かないし、自分たちは間違っていないという確信を持って交渉を進められたとは思います。

山本みはぎ（以下、山本）　交渉に臨む姿勢の前に、2021年7月の中止事件があまりにも理不尽で、2019年のあいちトリエンナーレでの「表現の不自由展・その後」も暴力によって中止させられ、またかという悔しさはすごくありました。2021年の中止のときの5日間の交渉を体験して、例えば交渉の場で人数制限をしたり発言制限をしたりとか本当に不誠実な対応がありました。表現の自由が暴力で潰されたことを市として容認をしてしまうのが本当に悔しいと。たぶんそれは河村市長の歴史認識というか、記者会見で「犯罪が起きたから」と、再開をしない根拠にはならないんですけど、ずっと言っていた。最終的には河村市長の意向ですよね。そこがすごくちらつきました。

私も裁判もありだと思ったし、市が不当な圧力で中止にした責任を取ることと、私たちの表現の自由とか歴史改ざんの問題で展覧会をするということは両輪だなと思っていました。

神戸郁夫（以下、神戸）　最初、２０２１年7月10日の夜に徳永室長が非常に不合理なことを何度も言うんですね。結局時間切れを待っているんだなって思ったんです。「本市の考え」を出してきて自分たちを正当化する名古屋市の態度に対して非常に不誠実だと思いましたね。

こういう人たちを相手に僕たちはやっているんだということをそのときにすごく認識しました。だから再開の交渉に臨むとき、名古屋市に対して中止したのはあなたたちで、きちっと配慮をしてやるべきだということを僕は交渉の場でも言った。

大阪の最高裁判決があったので、どう考えても名古屋市が開催させないということはできないだろうと、なかなかＯＫを出さなかったんですけど、最終的には出すだろうと思っていました。名古屋市はこういう展示会をやらせたくないんだろうなと、それが本音なんだろうなと僕はすごく感じましたね。

高橋　「本市の考え」の中で危険性について判断しているのに、口頭では危険性について評価できないというのは逃げですよ。あれで評価できると言ったら全部名古屋市として判断したことになってしまうんで、実はそれがトリックで、責任放棄をしたんです。責任放棄したって、体裁を整えないと市長に言われましたってなっちゃうんですよ。警察が警備しているからと警察のせいにして、責任逃れをしないと論理的に破綻しているんで、差し迫った危険性があると判断したって言ったら、その根拠は何だとなってしまうんで、逃げざるを得なかったんですよね。

郭　結局、最後まで中止にした件については、責任を取ってない。大局的に考えたらやっぱり再開が大事というところはありましたけど、1回目の交渉のときも状況は一緒だけど、大阪で判決が出たからみたいな感じで、全然理由にもならないようなことを言って、あのときの判断はやっぱり間違っているってなるはずなのに。個人的には、損害賠償もありかと。最終的に再開につなげるというのが最優先だったので、やむを得ないところはありましたけど。1回目の交渉のときに、「できなかった分の施設の利用料は返します、お金返したらいいでしょ」みたいな。

再開の方がやっぱり大事だったので、それは致し方ないかなとは思うんですけど、この時点で「あのときは間違いでした」っていうのを聞き出したかったと思うところではあります。

熊本「あいちトリエンナーレ2019」は、今回も暴力・妨害というか、人に恐怖を感じさせるようなあえてテロという言葉を使いますけど、テロに屈するわけにいかないと言うとなにか政府みたいだけど、でもそれは絶対ダメだと思うんです。

卑劣な暴力とか脅しで、市民の表現の自由や活動が潰されるのは、あってはならないことだなと。それを市が守らないとか、是認するとか追認することは絶対にあってはならないことだと思っていたので、それが原動力だったかなと思います。最後まで一貫して自分の交渉に臨む態度の心の中に姿勢としてあったと思いますね。

交渉で印象に残ったことは

近田　8回の協議を通じて全体として皆さんがどう感じたのか、例えば印象に残ったところとか、事前予約とか、金属探知機や持ち物検査、警備などについても関連してご発言ください。

高橋　2点ほどあります。市民の権利が失われたということと、名古屋市として市の施設に対して不当な攻撃があったということで、権利回復というのは名古屋市としての主体的な問題でもあったんですけど、こちらに全部丸投げだったのはすごくびっくりしました。例えば開催時期とかにしてもすごく受け身で、正直、困りました。

もう一つは、そもそも2021年に確認されていた内容があったんですね。共用スペースに関して、どこが責任主体かを明確にするかということですね。そういった2021年の確認事項をベースに、プラスアルファのところを市としてどう考えているかを最初に言ってくれたら2、3回で済んだと思います。例えば事前予約に関してはこちらも譲歩したし、逆にできないことはできませんと言えばよかっただけなのに、全部こちらに示せと求められて不思議でした。

久野　私が印象的だったのは市の担当者。1回目の協議の開口一番に「市が公の施設の利用を拒むことはそもそもできないので、ルールに基づいて安全に使っていただくものと考えている。だから申請はできるし、利用していただくことはできるんですよ」というポーズは示した。もうひとつ、「大阪の判例を重く受け止めて、その決定に則って必要な関係者との協議を今後行おうと考えています」とまで言った。

あえてポーズという言葉を使ったのは、実際には、例えばシステム上予約ができないとか、コロナの集団接種会場に指定するとか、まるでコロナが収束しない限りギャラリーを使えなくするかのような、言葉上と実際の運用が乖離していて、本当にやらせたくないんだなっていうのをずっと感じていました。

もうひとつ、確かに施設側の懸念事項だけ示して、どう考えているんですかって丸投げで、全部説明させようとする非常におかしな態度がずっと続いていた。それでも、粘り強く懸念事項も全部潰して文章化していくしかないということで、最終的に双方の責任を明確にしたマニュアルにして、警察とかビル管理者も含めた文章に結実させた。8回も協議を重ねたからこそ、そこまでいけたかなと思うし、「ここまでやったんだから絶対中止にさせないぞ」ということの確認にもなったので、本当に大変でしたけど到達できたところかなと思っています。

熊本　確かに使わせたくないために、ありとあらゆるブロックをしてきたというのはそうなんでしょう。でも、もし本当にやらせたくないんだったら、交渉にも臨まないという選択肢はあったんじゃないのかなと思うんです。市として「やっぱりまだまだ捜査が終わってなくて、また同じような事態が起こり得るかもしれない。まだ危険が払拭されるとは言えません。だから再開というか使用いただけません」という回答も、大阪の不自由展に関する判決があったとしても言えたと思うんですね。

でも、それを言わなかったのは何でなのかなと、別に市を評価するというわけではないんですけど、すごく不思議だなと思っています。

山本　私は河村市長にこだわるんですけど、「あいちトリエンナーレ」では市も実行委員会に入っていてお金も出したということが許せないということだったんです。河村市長は当初から市民団体などが会場を借りて勝手にやるのはいいですよというふうなことを言っていたので、それはそれでやらせるという方針はやっぱり上の方から下りていたんじゃないかというのは想像するんですよね。拒めないというのは大阪の最高裁の判例もあるし、そのぐらいのことはあの河村市長でも分かるのかな、それは思っていたんですよね。

ただ、どうしてあそこまで不誠実な対応ができるのかなと。返金の話もこちらから連絡をして対応したし、それから市民ギャラリー栄のネット予約ができないというのも、こちらから問い合わせて分かったことで、どうしてあそこまで私たちの展示に対して警戒をするのか、その姿勢が不誠実だと思いました。

2021年の交渉のときも結局、許可書が出るまで3カ月かかったんですよ。弁護士を同伴してやっと出たんです。だから今回も許可書の問題にもこだわったし、それからさっき高橋さんが言ったように、やっぱり一回実績があるんですね。条件が違うにしても、地下の受付のところとかはそんなに難しい話ではなかったと思うんですよ。

とりわけ2月の交渉のときに向こうからいろいろ懸念事項を出してきて、それは本来市がやるべきことなのにこちらに丸投げしてきた。交渉をずっとしていて、不信感はいっこうに晴れませんでしたね。

熊本　河村市長の顔色を見てみんな動いてたんじゃないのかなと思うんです。河村市長は記者会見で、一方で場所貸しと「あいちトリエンナーレ」は違うでしょうとか言って、「場所貸しは、それはせなあかん、と最高裁も言ってるから」と。「パブリックフォーラムって知ってますか」とか偉そうに言ってですね。（笑）

さも、法律とか判例とかそういうものは知っていて、それを分かっている自分はリベラリストだ、みたいな良い顔をしつつ、一方で、例えば広小路のお祭りで少女像なんか見せれますか、というヘイトも同時に記者会見の場で言うわけですね。そういう二面性、リベラリストだとか判例や法律用語を知っているとかいう格好つけたい自分と、一方で本心のヘイトというのが同居してる。それをもろに現場も影響を受けてたんじゃないのかなと。本当にダメですね。

神戸　交渉の中で一番僕が印象に残っているのは、本当に毎回進展しないなということだったんですけど、特に地下の受付に机と椅子を置く話に、2時間の交渉が全部使われた。（笑）

あれは本当に僕はびっくりして、こんなことでどうして2時間もわざわざ集まってやるんだという。そこに市側の姿勢が凝縮されてるな、というふうに思いました。

郭　神戸さんの机の話、全然理由になってないことを言っていたような気がして。こっちは被害者で、普通に借りてやりたいだけで、この問題が生じているのは妨害しようとする人がいるからで、市側としては一緒にその妨害とかにちゃんと対応しましょうというスタンスのはずなのに、「つなげる会」側がむしろ厄介者のような感じのスタンスをずっととっているなと終始感じていました。

コロナワクチン接種者の体調が悪くなるとか、警察を見たら怖がるでしょうみたいな話も出てきたりとか、変な理由をつけた。こっちもかけたくない労力をかけているというところがあるなか、当然その妨害を考えたらある程度協力は礼儀としてやりますけど、本来こっちがする義理はないわけで、他の人と同じように普通に使わせろって言えるはずなのに、市のそこら辺の捉え方というのは終始違ったな、というのは思いました。

久野　市が不誠実で、〝やりたくないのに応じてやってる〟みたいな姿勢を貫いている中で、こちらも譲らなかった部分がきちんとあるんだと、獲得したものがあるんだということは、確認しておいた方がいいと思います。例えば会場名の公表を1カ月前に告知しますということもこちらは譲らなかった。それから、警備とか金属探知機の実施についても、それがいいのかということは議論はしましたけど、少なくとも主催者の負担でやることは絶対に間違っている。だから、こちらから要請せずに、それは市の判断と負担でやるべきものだということは譲らなかった。

本当に普通に考えればかける必要のない労力をかけたかもしれないけれども、その結果として、市側の過度な要求はちゃんと押し戻してきたと評価していいんじゃないかなと思います。

将来的なことを考えれば、ここまでのことをしないと開催できないのはおかしいんですけど、でも押し戻した部分、こちらが獲得した部分、このラインは最低限やるでしょうっていうことは言えるかなと。今後もし同種の企画を開催しようとする中で、「主催者はそんな責任は負いません。やるべきことではありません」ということは守れたかなと思っています。

熊本　さっきの机と椅子のことで2時間使ったこと、逆に弁護士としてはとても勉強になりました。弁護士だけで交渉したらちょっとあきらめたかもしれない。それよりも目標は別のところだから、みたいな形で譲歩をするところもお互いにあったりしつつ、何か進んでいくというマインドになっちゃうので。

私が一番記憶に残っているのは、山本さんたちが利用許可書を取りに行きましたよね。申し込み行きますからねって、協議後にその足で取りに行った。一方で弁護士が代理人として事業団とかとやり取りしてるときは、いろいろ詰めてからみたいな話があったので、そこでパッと動かれたのはやっぱり良かった、あれはちょっと弁護士にはできないというか、弁護士は逆に交渉の中で全てを進めようとしてしまう。交渉外で動くというのが、ご法度みたいなマインドがあるんですよ。そこをガツンと動いていただいたというのは、すごく良かったです。うまく役割分担が機能したんだと思いますね。

金属探知機や持ち物検査は良かったのか?

近田　司会ですが、ここだけは言いたいのは、金属探知機と持ち物検査。私は反対で、一方で押し戻してきた面がありますが、展示会をやるときの前例を作ってしまったんじゃないかという気持ちがあります。皆さんのご意見があれば。

久野　手荷物検査や金属探知機の実施が、今後の不自由展の前例を作ってしまうから反対という意見について、その懸念はその通りだと思います。今後どこで開催するにしても、行政側でも情報収集しているので、不自由展を開催するためには金属探知機や荷物検査が必要だと言われるでしょう。今後の課題ですね。

熊本　私は少し違う見方です。警察の話ともつながるんですけど、金属探知機と手荷物検査はあってよかったと思ってるんですね。逆に、ヘイト勢力は不自由展を潰そうとする。サイレントマジョリティや実際に実行する人たちがいる。私たちは守られる側なんだということを、きちんと示す必要があると思うんですよね。こちらこそが守られる存在なんだと。行政、国が民主主義社会を守るために、私たちを守るんだということを示す。その象徴としても、別にあってよかったんじゃないのかなという見方をしています。もちろんそんなものなくてやれたらいいのは当然なんですけれども。

高橋　結局、危険性をどれくらい予知できるかというところで、犯人が捕まっていないのでそれは仕方ないかなとは思いました。

神戸　名古屋市が金属探知機と持ち物検査を我々主催者側にずっと要求して、私たちは断ってて、最後の局面で突然名古屋市で金属探知機と持ち物検査と警備員をつけますとなった。名古屋市の危機意識で、これは必要だというふうに判断して自分たちで用意したということなので、それでいいのかなと思いました。

郭　向こうに負担させた上の金属探知機は良かったかなと思います。判例的にも結局行政側が拒否できる場合は「警察の警備によっても防げない事情」というケースなので、警察は金属探知機をやったら防げるでしょうということです。当然、警察や行政の仕事ということで、向こうのお金でやるというのはむしろそれでいいのかなと思います。

山本　私はやっぱり展覧会に金属探知機だとか持ち物検査なんかは普通に考えればおかしな話だなって、ずっと思っていたんですね。これって、ニコンの場合もあったけど不自由展だけですよね。今の社会は差別だとかヘイトだとか、そういうことがすごく顕在化していることの現れだと思うんです。いま熊本弁護士や郭弁護士の話を聞いて、一つの権利的な側面もあるのかなって思いました。犯人が捕まっているかどうかは、社会的にそういう勢力がいるんですよね。行政との関係でどう考えるかというふうなところは評価した方がいいのかなと思いました。

熊本　一匹狼の犯行だとしても、それをSNSとかでネット上で拡散して、もてはやすような発言が一番許せない。それがこの社会の今の実相だと思います。

ツイッターとかを見ていて、日本第一党の副党首なんかが、事件が起きるのが楽しみだみたいな、愉快犯的な感じで書いたりしているのは許せない。人が傷ついたり潰されたりとかを期待するような、そういう社会になっていて、それは一番問題だと思います。

つなげる会と弁護団の関係は

近田　「つなげる会」と弁護団との関係でご意見があれば。

山本　弁護団は弁護団会議を開き、「つなげる会」は「つなげる会」で開き、合同会議をやってから交渉だったので2カ月に1回だったんですよ。私はこのペースでいつちゃんと話ができるのかなって非常に焦りがあったんです。でも今思えば、やっぱり一つ一つ多少考え方が違うところを丁寧に会の仲間をまとめ、弁護団もまとめ、全体をまとめて交渉した。そういう交渉の仕方というのは本当に会議の進め方ひとつで、大きな成果だと思います。

久野　弁解になっちゃうんですけど、普段の仕事は法律や判例に基づいて何が主張できるか考えて、書面のやりとりが基本で、裁判のペースも1カ月とか1カ月半に1回とかなんです。

私自身の経験として、対立的な関係の相手方と協力して企画を実現しなきゃいけないという経験自体が初めてでした。最終的には一緒に実施をする主体になってもらわなきゃ困るが、本音の部分で負担感とか不安感とかが相手にあるのは分かる。事業団の部長（異動前）がかなり調整に苦労されているのは分かったところもあるので、実現に向けた最低限の信頼関係は失わずにやっていきたいと、礼儀は尽くしたいとの思いもあった。

相手が組織である以上、決裁を受けて回答まで一定の時間がかかることは理解できるし、そこを無視して急がせるとお互いの距離を離してしまうんじゃないかという懸念もありました。

だんだん気持ち的に絶対成功させたいという思いが強くなっていくと、弁護士的なネゴシエーションで、つなげる会の皆さんにすごくもどかしい思いをさせてしまったんだろうなというのはあります。ただ市民とは違う代理人という立場で関わっていることの意義もあるというか、交渉を決裂させないようにしたいという思いは抱いていて、だから葛藤は常にありましたね。申し訳ないなと思いつつ、特に山本さんとか高橋さんの苛立ちは、率直に言うと感じていました。

熊本　率直に言うと、交渉の場で口調が強いなという印象を受けた。弁護士は最後、合意を取りにいくというところが主眼になっちゃうんです。そうすると、どこかで日和り、何かちょっとツッコミ方が足りないとかいうふうにもなりかねない。

例えば調停や和解期日で依頼者と一緒に裁判所に行くときでも、依頼者を抑えつつ……というようなことをするんですね。こういう話し方をしたら絶対まとまらないぞ、というふうに思ったことも一度や二度ではなかったです。「これ、どうするんだろう」という気持ちになったことも何度もありました。でも、やっぱり弁護士としては依頼者あっての弁護士の仕事なんですよね。原動力は依頼者のかける思いというところなので。

近田　じゃあ、相当ストレスを抱えられましたね。

熊本　ストレスというよりは、「どうするんだよ」と。でも、表現の回復の主体になるということを高橋さんは市に対して呼びかけていて、「それをちゃんと実施させるのはあんたらの仕事でしょ」「こちらが何でいちいち考えたりとかしなきゃいけないんだ」と。そういう考えだということはいつも感じていてわかっていましたし、そこを何とかまとめなきゃなというところの間で揺れていました。

郭　僕も率直なところで言ったら、皆さん良くも悪くもガンガン言うところはあったと思いますし、譲らないところは強く言うという部分は、皆さんのスタンスとして今後もやっぱり大事だなっていうのと、批判で終わるようなこと、そこを今言って意味があるかな、そこに時間をかけるのはいらないなというのもありました。（笑）市の対応が不誠実で怒りたい気持ちはわかるんですけど、そこを弁護士の方でうまく調整して、結果的には良かったんじゃないかなと思います。

神戸　法律的なところは専門家に任せた方がいいと思ってるし、その安心感の上に立って自分たちが進めようとしていることをちゃんと主張していくと。そういう形で実際に進んでいたんじゃないかなと思います。

確かに、今言ってるのはどういう意味があるんだということもあったかもしれない。やっぱりいろんな裁判とか見ている中で、原告側の訴えている側の気持ち、意気込みを裁判長に対してちゃんと見せることが非常に大事だということをいつも言われるんですね。やはり僕らの交渉はそういうところがあって、高橋さんが交渉の場で「もしこれがダメになったら来年もやりますからね」って言いましたよね。気持ちは一緒だったので、みんな静かだったんだよね。高橋さんじゃなきゃ言えない、でも、それは同じ気持ちなんです。そういう気持ちをちゃんと節々に出しながらできたのは良かったかな、と僕は思っています。

山本　私は市に対してずっと私なりの根強い不信感があって、交渉の中でもいろんなことを言ってきて、責任感がないのかと思う、この交渉のプロセスの中で。自分たちがどういうスタンスでやるかというのは、郵便物の破裂事件があり別の要素が加わったにしても、ある程度ベースを作ってきた。そこをベースに市もやるべきだと思うんです。それが初めから歯車が合ってないやり方で。市は再開させるんだって言ったわけだから、じゃあ、その上で何をしましょうかということは、当然向こうだって言ってくるはずだと思うんですよ。普通の感覚だったら、それが一緒にやるということなので。でも市がそういうことをやらない態度がずっとあった。

こちらの主張はある意味、権利ですよね。折り合いをつけるというところはあるかと思うんですけど、まず、こちらは主張することは主張して、その上での折り合いですからね。

久野　これは普段の仕事でもよくやる手法ですけど、言うべきこと、権利の主張とかおかしいこととか、抗議は書面できちんと出して形に残し、一方で時を同じくして電話をかけてワンクッションを置くというか、その辺は両輪でやってきたかな。やっぱり結果的には役割分担ですね。いろいろ葛藤とか模索とかしつつできたかなと。

私は一番最後に加わった、しかも偶然からというところもあるので、皆さんのずっと取り組まれてきた運動の延長線上に今あって、だからこそ譲れないものがあるというのは、本当に何度も何度も痛感させられたし、そこから学ばせてもらうことがすごく多かったなと思います。

高橋　再開の交渉を始めて何回目かで、文化振興事業団の部長が交代した中で引き継ぎを全然やってなかったんです。だから、ゼロベースで始めたでしょ。

2021年のときは、ギャラリーの館長と職員は現場で僕らとやっていた。あの事情を全部ちゃんと事業団の部長が分かっていればこんなことにならなかったんですよ。これはもしかしたら中の組織の問題だからうまく言えないけど、完全に放棄してるなと思いました。そこからやらないといけないときに、なおかつこちら側として見たら向こうに瑕疵《かし》があるという立場だから。

金属探知機とかに関しても、つなげる会の中で話がまとまらないから、まとめるのは無理だなと思ったんで、だから半分は「久野弁護士さんやってくれてありがとう」って正直思ってました。(笑)

まとめないといけない幅が去年よりも広がっていて、そこで市の態度を変えないといけないと思ったんですよ。だから市が出すべきでしょうと、あなたたちには出す義務があるんですよということは認識してほしいところで、不毛かもしれないけど、ガンガン追及をしたところはありました。ただやっぱり、なかなか難しかった。

警察との関わりは

近田　警察との関係をどう考えるかについて、お願いします。

高橋　警察との関係は結果良かったのか、悪かったのか、正直よく分からないです。基本的には四者協議という形で、そこで全てを決定して、全て把握した上で当日臨みたかったけれど、警察の参加は遅くて、結局それは全然できなかった。だから、それはどうなのかという思いもあるし、警察は警察で独自で動くのを全くこっちが認めないというわけにもいかないので。今後も考え続けていきたいと思います。

久野　私が警察との関係で葛藤したのは、妨害者と明らかに分かっている人物の情報提供と、警察からの市民監視のバランスをどうするか。妨害者とはいえ市民ということもあって、それをこちらが一定の申込者の情報を提供するべきかどうか。他方で、こちらは来場者やスタッフの安全を確保しなければならないというので結論が出ていなくて。最終的には提供しないという判断は間違ってなかったと思いますが、すごく難しい問題だなと思いました。

山本　警察との関係は私もどこまでやったらいいのかというのは、まだ判断がつかないです。やっぱり警察は警察で、たぶん独自でいろんな情報を得ていたと思うんですよね。

7月初めに中警察署に行ったときに、交通課の人が道路使用許可のことでいろいろ説明してくれました。でも、最後に「道路使用許可を出しても全然役に立たないこともありますよ」みたいなことを言ったんです。あのときは東京や京都も警察が会場の周りを囲んでいたので、警察は警察でやっぱり独自の連絡があって、そういうことを考えているんだなって思いました。

さっき久野弁護士の言われた妨害者の情報提供に、私は結構反対したんです。やはり警察の関係は慎重になるべきだと思いますね。今回は全部やってくれたんですけど、普通の市民感覚からすると「すごいことをやってるんだな」という感じがあるので。私としては評価は保留というか、ただやっぱり警察とはある程度距離を置いた方がいいと思います。

神戸　危ない人が来たときに警察に情報をもらおうかどうかということで、僕はもらえばいいっていう意見だったんです。もらわないことになったのですが、結果的にはもらったところでどうしようもないというか。（笑）ただ基本的に警察は市民を守る義務があるわけです。市民が妨害されて危害を加えられそうなときにそれを止めるとか、未然に防ぐ義務があるわけなので、そこのところはちゃんとやってもらわなあかんと。行政に求めるのと同じように、警察に対しても僕はちゃんとやってもらうべきだと思ってます。

熊本　山本さんが言ったように警察との付き合い方は難しいというか、彼らは彼らの独自の意図、目的があって動くので、結局こっちが下手に使われかねない、そういう危険性がありますよね。

神戸さんが言ったように、守ってもらうのは間違っていないと思うので、それが義務だよと。ほんとうに怖いんですよね。でも最高裁の判例がちゃんとあって、「警察の警備をもってしても防げない」だから「警察はちゃんと守れ」と最高裁が言っているわけです。

関西の判決も出てるので、判例判決があったからこそ逆に利用されるような警察との関係ではなく、彼らとして使命感と義務感を持ってやってもらうという関係にできたのかなと、そんなふうに感じますね。

例えば韓国から来た右翼がいましたが、彼らは広小路通りの交差点のところで職質を受けていて、ずっと警察がびっちりついてきたわけです。それも本当にいいのかなというか、ある意味ではすごい萎縮というか弾圧というか、そういうことじゃないですか。それは本当に紙一重で、他方で暴力的な人物とか、突っ込んでくるような人間がいるわけですね。ヘイト勢力や右翼で札付きのが来てるとか、そういうのを防ぐ、街宣車を防ぐ。ビルの裏路地のところでも警察がついているのは必要だったと思うし、判例があってよかったなと思いますね。

郭　警察との関係ということでは、昨今ヘイトクライムがあったり、そこを対処できるのは警察しかないので頼らざるを得ないという部分はあると思います。交渉で気になったのは、東京などと比べて（県警は）消極的だったと思うんです。

東京は警察が積極的にいろいろ協議して、直通の電話もあった。こっちは110番してくれということでした。もっと柔軟にやってくれたらうまくいったんじゃないかな。警察の方から積極的に提案などがあったという話を聞いた記憶があったので、そこらへんも愛知の方はもうちょっとだったかなということですね。

熊本　私たちが警察署に何回も行って警察の担当者と顔をつないだのが大きかったのかな、ちょっとした信頼関係もできたのかな、とは思っています。向こうも、「なんでこんなのを守らなきゃいけないの」みたいな意識になられたら嫌だけれども、そうはならなかったんじゃないかなと思います。

最後、撤収の荷物を地下に下ろすときも、最後の最後まで警察の担当者が8階や地下のエレベーターを降りたところにいてくれて、それは良かったかな。

久野　例えば何か問題のある人物が来たら、警察の担当者からアイコンタクト的な感じがあり、当日の見守り弁護団要員に「あの人ちょっと注意した方がいい」と現場でスムーズに伝えられた。会場内の静謐な観覧環境を守るという一点で必要な連携はできていたんだなと思うんです。

高橋　2021年のときに警察が協議に参加してくれて、「どういうふうにやるんですか？」みたいなことを全部警察と話していたので、そういう部分では信頼というか、「展覧会をやりたいだけなんです」というの

は向こうも理解してくれていた。中止のときにも話をして、それもあって同情はあったみたいな。(笑)

他の地域との連携は

近田　他地域との情報交換、交流ということで、いろいろな連携があったと思います。よかったことや課題があればお話をお願いします。

神戸　僕は他地域の不自由展には一回も行ってなくて、一番交流してない人なんですけど、その理由というか、名古屋で僕たちがやってるこの不自由展はもちろん展覧会で、ある意味、芸術の展覧会です。だけど、それと同時に、歴史改ざんをしていこうとする現在の流れに対して、この「平和の少女像」に象徴されるものをきちっと市民に見てもらう、認知してもらうということを非常に大きな目的として進めてきた。「つなげる会」の中でもそういう気持ちが多かったと思うんですね。

だから、あえて展示物を減らして「平和の少女像」と天皇の映像と安世鴻さんの写真とかで展示会をやったということなんです。同時に今までの市民運動としてやってきた経過を展示として見てもらう、その二つのことがあるので、僕は他地域の不自由展とはちょっと違う部分があるかなと思ってやってきました。全然、他地域と交流の話はしてないですけど、ちょっと違うと認識していました。

山本　私は京都以外に行ったのと、それから4地域の合同会議にも高橋さんと毎回出ていました。本当にそれぞれの地域のやり方が違うんですね。

名古屋は2019年からずっと運動的にやってきたので展示の中身も違うんですけど、でも基本として底辺にあるのは、この日本の右傾化、歴史修正主義があって、「平和の少女像」は日本にこそちゃんと建てられるべきだと思うんです。でも、そういうことが全然できてなくて……。

大阪でも神戸でも京都でも、地域で問題意識をずっと持っている人がいて、そういう人たちが「やっぱりこれはやらなきゃいけない」というふうにやる。やり方は多少違うと思うんですけど、地域をつないで開催できたのは、私は今回、成果のひとつだと思います。こういうことがもっと広がればいいと思うんですよ。地域で実績を作ってきたわけだから。

郭　僕は、1回東京の先生方と情報交換会とかして情報交流したというぐらいです。1年前は参加して作品は全部見たので、展示している作品を改めて見ても一つ一つ意味があって、その意味を考えたり、（安世鴻さんの）写真の方たちも1枚1枚に歴史がある。過去に悲惨な人権侵害を被った事実を、いまだにそんなことはなかったという話が蔓延している日本社会ですから、不自由展とか発信の場をどんどん積み重ねることで、個人的にも社会を変えていけると思っています。「表現の自由」の大事さというのは僕自身もずっと思っていて、高校生ぐらいから結構街宣とかデモに参加していたので、伝える権利はとても大事だと思っています。しかも自分自身が在日朝鮮人ということもあって、参政権もないので、おかしいという主張を伝えるためには、やっぱり市民運動といいますか、実際の一個一個の行動が大変大事だと思います。

僕も写真などを見て、皆さん悲惨な経験があるということで、うるっとくるものもあった。注目されることで人もたくさん来られて、いろいろ妨害とかもありますけど、そういう意味では多くの人に問題を周知することができたという部分は成果として大きいかな、と思っています。今後も一個一個の行動を積み重ねて、弁護士としては憲法で保障されている表現の自由を行使する、この権利を保障する活動は、今後も大事だなと改めて思いました。

久野　私は「表現の不自由展かんさい」を、2021年に自分たちが潰された1週間後ぐらいの最終日に見学して、もちろん大阪での妨害とかの聞き取りを丁寧にさせてもらえたというのもありがたかったですけど、会期満了して、わーってなっているのを見て、悔しさというか、絶対これを名古屋でも味わうぞと、そこで決意を新たにしました。中止させられて本当に言葉にならない屈辱感がありました。

私には経験が乏しいという自覚があったので、東京や大阪の先輩弁護士から、見守りマニュアルや弁護団集めとかも情報提供してもらえてすごく助けられました。大阪と東京に実際に見に行ったことで、他の地域の警察がどういう動きをしているのか、音のデシベルを測って中止命令を出しているところも見たし、これは絶対名古屋でも使える、車止めを敷いて規制線を張っていることとか全部交渉に活かそうと思えて、そういう機会を得られてよかったです。

一方で、市と交渉している中で市側にも情報が入るので、こっち側も他地域から事前に情報を得ていることで、「それ聞いてません」みたいことがない状態で交渉を進められたのは、全国的に連携していたからこそだと思いました。

熊本　私は、久野弁護士みたいに悔しいとは思わなかった。大阪も東京も見に行って、やればできる、必ずできるという確信を強めた。これをやればいいんだと思って。ただ大阪と東京の弁護士の先生と話をしていて、やり遂げるためには何を守らなきゃいけないんだという気持ちが非常に強かった。大阪はそんなに警察と連携していたわけじゃなくて、最後に一気に県警と大阪府職員たちが動いたという話でしたよね。「もし爆破予告が来たらどうするか」というところはどうですかって聞いたら、「それは確かにどうなっていたか、正直わからないんだよね」と大阪の先生から言われて、確かに名古屋ではあり得るだろう。そこをなんとかしないと、と思いが募りました。爆破予告があった場合にどうするかというのは、最後マニュアルに落とし込めました。

東京も弁護士と警察で話はしていたんですけれども、結局、警察が防衛するとか、こうするというのは形に残ったわけではない。私が「形に残すような方法とかないですか」「取り決めとかそういうのはできないんですか」「知恵はありませんか」と聞いた、「それはね。なかなか難しいんじゃないの」って。やっぱり、できるのは警察署に行って話し合いをするくらいが限度じゃないかと言われました。東京は複合施設ではなかったけれど、複合施設である名古屋の場合は、他の目的で入ってくることができてしまうとか、危険がある場所もあるし、どうしようかなという。

だから他の地域の弁護士の話を聞いて、やればできる、必ずできるけれども、なにかもう一歩先を行かないと不安だなというのは、ずっと最後まであったので、最後にちゃんとマニュアルで警察を巻き込んでやることができたのかなと思います。

期間中に思ったことは？

近田　期間中のことや展示について、思いがあれば。

久野　ずっとこの不自由展の問題に関わってきて、割く時間も多いし、でも経営者として売り上げも上げなきゃいけないのに、こういう活動を事務所の中の2人もがしていることに対して所内ではどう思われているんだろう、というのが正直わからないところもありました。私たちが所属する事務所も一枚岩というわけでもないので不安もあった中で、何回か見守り弁護団への参加を呼びかけたら、所内の他の弁護士たちが見守り弁護団として加わってくれて、日を追うごとにその同僚弁護士たちがスタッフの一員のようになっていって、所内とは違う一面が見えて嬉しかった。

行政への不信感が拭えないまま開催を迎えて、でも蓋を開けてみると、事業団が依頼した警備員が〝エレベーターおじいちゃん〟のような感じのにこやかな雰囲気で。警備員の制服を着ているもののものしさはあるにしても、警備会社の人たちが「皆さん笑顔で来場者を迎えましょう」って毎朝必ず呼びかけてたんです。人間、捨てたもんじゃないなというのを感じることが多くて、やっぱりここまで来られてよかったという思いをずっと持ってましたね。

他の地域との違いですごく感じていたのは、フロア全部を借りたというのもあるんですけど、生の表現の場を作ったというのは、これは本当に「つなげる会」の皆さんたちのすごさだなと思って感動していました。作家との交流の場と不自由を体験してみようという場、それもひとつの表現ですよね。

展示を見て考えるということ。それがひとつの主張であって、運動の一環というのももちろんそうだし、抵抗してきた運動の軌跡を展示する。それを芸術として展示することも他の地域との違いで、すごく重要なことだし、生の表現の場を提供したのは、これは本当にすごいことだなと。他の地域を見たからこそ実現できて、いろいろ緊張を強いられる場面もありましたけど、「表現の不自由体験」は行けなかったのですが、私も行きたかったです。

山本　正直なところ、4日間やっと終わったっていう感じです。これから文章を書かなきゃいけないんですけど、私は一体何をやっていたんだろうと思うところもあるんですね。

ずっと緊張してた感じがするし、本当は高橋さんと二人で全体責任者ということになっていたのが、急遽、当日受付をやることになって高橋さんが担当になってかかりっきりだったので、すっごく緊張した4日間でした。すごくピリピリしていたので、いろんな人に迷惑をかけたなと今考えると思います。（笑）やっぱりちゃんと成功させなきゃいけない、そのためにいろいろなことを準備したので、そういうふうにやってほしいという気持ちもすごくあって、なにか悪いことしたような気もしますね。でも本当にね、無事終わってほっとしました。

久野　これも弁解になるんですけど、交渉で確認してきたことと、現場で臨機応変な対応をしなきゃいけないことがあって。これは施設から突っ込まれるなということは言わなければいけなかったりとか、地下でのやりとりとか、（受付の）場所を広くしちゃうとか、いろいろ現場で頑張ってくれている人たちの気持ちに水をさすことも言わなきゃいけなくて申し訳ないなと思っていました。

高橋　事前予約制で決まっていたんですけど、インターネットを使えない人のことをどうするんだというのがすごくあって、急遽決めて当日予約もできるようにした。でも動いてくれる人が結構いて、なんとか形になって、あれはよかったんじゃないのかなと思います。大変だったと思うんですよね。

本当にいろいろな人に支えられて、弁護士の方々とかを含めて、支えられてできたなという思いと、事前にボランティア説明会とかもやって、今年感想会をやってないので、もうちょっと前後に人間的な交流ができるような場があった方が本当はよかったのかなという気がします。

熊本　当日予約は事前のルールとは違ったけれども、当然やってよかったと思いますし、どんどん人が来るというのはすごいなと思いましたね。当日予約でどんどん人が来ると、市や事業団関係者も見てたと思うんですよね。それもいい方に作用したんじゃないのかな。

事業団の人にもいろんな立場の人がいると思うし、来てる人にもいろいろな人がいると思います。結局、ギャラリーとか文化振興事業団は、文化事業とか施設を管理して市民に利用してもらう、来場者に来てもらう、催し物をやって人が集まるという仕事をしてるわけじゃないですか。なんだかんだ言っても、それは彼らにとっても喜びだと思うんですよね。来場者がどんどん来る、注目されているのを見て、事業団の人たちや警備員のおじちゃん、おばちゃんたちも意義を感じてくれたんじゃないのかなと。だからこそ4日間やり遂げられた。そういうのがあったと思います。

久野　会期中のことで、妨害物が市と事業団本部の方に届いたという報道があったが、そういう報道があっても中止させないと市の担当者も回答したということは評価したい。
一方で、マスコミと河村市長は、その妨害物が不自由展と関係するということをすぐ結びつけて、どう思いますかって、こっちに聞いてきますよね。そういう決めつけとかがあるから、危険な催し物をしているとの印象が作られていく。マスコミ対策や記者レクが本当に必要だなというのは、開催期間中も思いました。取材の場面にたまたま私がその場にいたときは、「こっちに聞くのおかしいですよ。河村市長が言ってるだけのことを、なぜ真に受けて関連づけて報道するんですか。聞かないでください」って抗議したんですけど、マスコミのそういう安易さ、何かハプニングを喜ぶところは本当に変わってほしいなと思いましたね。本当に無事できて良かったと思います。

山本　前回、初日にマスコミ公開した経験でバタバタだったので、前の日に内覧会をやったはずなのに、当日もすごくいっぱいマスコミが来て、そういう意味ではマスコミ対策というのをこっちがきちっとやってなかったんですよね。
今言われたみたいに不測の事態が起こったときのマスコミ対策を考えもしなかったというか、実は爆発物が届いたというのは、某マスコミから初めて聞いたんですよ。
これは言っていいのか分からないんですが、事業団に行ったらまだ知らないという段階で、弁護士2人と高橋さんにもすぐに電話したじゃないですか。とにかく、そこで対処できるような体制を作っておかないと。何もなかったからよかったものの、その体制は何か作っておいた方がよかったかなと思います。

久野　「つなげる会」のマスコミ担当者と、弁護団のマスコミ担当者と1人ぐらいずつは設けておくべきでしたね。

山本　本当にね。産経新聞なんかも来たんですよね。それは韓国からなんとかという団体が来て、今、こういう集会とかをやってるんですけど、それについてどう思いますかみたいな話だったんです。「爆発物とかなんとか、それもこっちには何の情報も来てないからコメントのしようがありません」と、それで通したんですけど、そういうマスコミに対しての危機管理みたいなことも今回はやっていなかったので、それは後から思いましたね。

それから、NHKについても甘かった。開始前から密着取材ということをして、番組を作ったけれど、本当に酷い内容でした。展示後、NHKとは話し合ったんですけどね。マスコミについては、もうちょっと事前にどうするかということが必要だったと思いました。

関わって得たこと、考えたことは？

近田 「私たちの『表現の不自由展・その後』」に関わって、得たこと考えたこと。合わせて歴史改ざんや表現の自由の問題について皆さんから一言ずつお願いします。

高橋 本当にまず市民が立ち上がって、それに弁護士とか他地域の人たちの応援があってやれた3年間だったと思います。

僕自身は皆さんとこうやって知り合うことができて、本当に学ぶことが多かったなというのが率直な思いです。普段忙しいので、いろいろ労働運動みたいなものには少し携わってきたんですけど、どうしても流されちゃうことが多いなと思っていて、根本的に今の日本の社会がどういう方向に向いていくかといったときに、核になるべき戦後の平和主義とか、その平和主義の原点にあるのは侵略戦争の加害者意識とか加害者性というのがあるので、そういうところがぐらついてきているところの大きな象徴なのかなというふうに思っていて。

それに携われたことにすごく光栄だなと思うと同時に、しっかり自分の中でも軸にして、そこはぶれないように、今もそういう歴史の事実というのはどんどんないがしろになっていて、政治もそうだし社会もそうなので、そこはしっかりと、どういった形で関わるかは別にしても、大切にして今後も過ごしていきたいと思いました。

神戸　僕はさっきの期間中の話は全くしてなかったんですけど、それに絡めて話をすると、やはり職員の方たちが本当に一生懸命やってくれて、新型コロナウイルスのワクチン担当の方まで一生懸命「不自由展」の来観者の案内をやってくれた。その前のときもそうだったんですよ。要するに現場で動いている人たちというのは文化振興事業団の人たちも警備員の人たちも、みんな一生懸命僕たちと一緒に動いてくれ、２０２１年当時の館長も本当に一生懸命やってくれたけれど中止になりました。

その後の職員の対応は、実際に一緒に現場でやってきたのと全く違う顔になるわけですよ。本当にそれで思ったのは、どうしてもトップというか、名古屋市だったら河村市長、大阪だったら吉村知事とか、そういう人たちが歴史改ざん主義の考えを持っていて、それを下に命令をして表現の自由を抑圧しているんだなということが非常にはっきり出たんじゃないかと思います。現場の人たちは全然そういうことを思っていないのに、上から言われるから、上に目を遣って言いたいことも言えずにのらりくらりとやってしまうという状況なんだなということが分かったんですね。それはどこかで突破口を作っていかないと変わらない。どんどん悪くなっていくと思うんですね。

今回の「表現の不自由展・その後」が名古屋だけじゃなくて、あちこちで開催できたということもひとつの突破口で、それで行政の方もこういうことできるんだということが分かったと思うし、その展示を見た市民も少しでも分かってもらえたということが大きくて、今回の展示会の大きな意義はそこら辺りにあると思っているんですよ。

街頭宣伝で日本軍慰安婦のことを訴えたりすることよりも、こういう展示会を開いてそこに来て自分で見て考えてもらうと。別に僕らがレクチャーするわけじゃないので、見てくださいねと言って、帰ってもらうだけなので。アンケートにいろいろ書いてあるんですけど、そういうことが非常に大切なんじゃないかなと思っています。

ついでに言ってしまうと、メディアの問題があります。NHKがずっと取材をしていて終わった後に30分くらいの番組を作ったんですよ。人によって反応は様々なんですけど、僕は本当に腹が立って。僕がNHKを嫌いということもあるんですけど、「やっぱりか」というような作り方でした。自分たちで記者たちを呼んで話し合いをしたんですけど、全然そういう意図はありませんよと記者は言うんですよ。でも明らかに意図があるんじゃないか、この作り方を見るとね。今どうこうできることではないんだけど、そういうことに対してきちっと「おかしいでしょ」とは言わないと全然変わっていかないと思います。

記者たちが全く知識がなくてそうなっちゃったのか、それとも刷り込みみたいなものがあって、こうやった方が番組として面白くなるぞと考えて作っているのかわかりませんけれど、結果としては非常に問題のある番組になったなと思いました。

山本　もともと日韓のあいだにある問題をずっとやってきて、「不自由展」のことはその流れの中で必然かなと思ったんですね。

いろんなことはありましたけど、ひとつ歴史認識の問題であると、日韓だけじゃなくて、やっぱり今、本当に日本の国家が歴史改ざんをやっている。徴用工の問題にしても日本軍慰安婦の問題にしても、特に安倍政権から言っていることが違ってきているし、歴史の事実を認めないというか、ますますひどくなっているような感じがする。学校教育もそうなんですけど、どこかで立て直さないと、なかなかこの国はまともにならない。

そういう不安みたいなのがあって。

私たち自身も、かっこつきの日本国籍がある国民も、いろんな意味で権利がどんどん侵害されてるじゃないですか。そうした権利は戦後の憲法の中である程度認められてきたのですが、でもやっぱり在日の人たち、沖縄もそうなんですが、憲法の枠外に置かれていたんですよね。

同じ市民社会の中で生きてきて、そういうことを回復していかなきゃいけないと私は思うんですよね。じゃないと、ちゃんと対等な立場になれない。対等な立場で話をしたいし、負い目みたいなものをいつまでも負いたくもない、それには自分が努力するしかない。そういう意味では、この不自由展をやってきてどれだけ成果があったかというのは、本当に見てくれた人たちがこれからどういう見方をするとか、行動するかということにかかってると思うんです。ひとつやりきれたことには成果があったかなと思いますが、これはつなげる会の座談会でも言ったんですけど、やっぱり道半ばというのも思いましたね。

熊本　一番得たこと……、う~ん美談で終わらせるべきではないですけども、やっぱりたくさん行動したなという。交渉の場、当日、会期中、警察にも行ったり、足を動かして汗をかいて、人と生で会って話をして何かを作っていくということは、それが一番いい結果につながるという。少し一般論ですけどもそれをやってこその4日間、最後にできたことだなって。確かに中断させられたことは非常に腹立たしい、不正義だったと思います。けれどもそこであきらめずに、あれだけ名古屋市の方に最後まで食らいついたということがあったからこそ、そこで私たちの存在というのをもう一度、市の担当者たちに刻みつけたと思うんですよね。それがあったからこそ、むしろ良かった。最後、いい形で回復できた4日間だなと思います。やっぱり、汗をかいて足を動かしたというのは一番大事だなと思います。

こういうふうにして、突破口を一つ一つ作っていかないといけないなと。司法判断とか判例とかそれも大事ですけれども、裁判所って箱の中でやってるなという感覚も拭えないので、その準備段階でみんなで資料を集めたり陳述書を作ったりということもあるんだけれども、実際に何か物事、社会の動きを作り上げていくというのは本当に大事だなと。

これは別に弁護士とか関係ないというか、弁護士であってもそれこそが本当に大事なことなんだというのは、見失いたくないですね。汗をかいて足を動かして人と会って突破口を作っていくということを、全然できていないですけど、やっぱり積み重ねていかないといけない。そこからしか社会が良くなっていく道筋はないんじゃないのかなと思います。むしろ、みんながそういうことから背を向けるような社会にどんどんなってるじゃないですか。ネット社会になって、みんなドライになっていって、それじゃいかんと思います。

久野　一つは、弁護士の普段の仕事は、社会を変えるためであったとしても、政策形成訴訟という裁判を通じて世の中を変えていく、あるいは発生してしまった被害を金銭解決だったりという形で、事後的救済が基本的な内容です。憲法や最高裁判例を裁判所の中ではなく、生きた社会の中で、まさに活用、駆使して、いかに裁判外で実像として憲法の価値を実現するかという機会ってまずないんですね。

今回この不自由展の問題に関わらせてもらったことで、不自由展が中止させられるという、被害というか権利侵害を受けて、市民の皆さんだったら普段からそれに取り組んでいることだと思うんですけど、弁護士として裁判ではなく、交渉を積み重ねて、憲法の価値を実現する場に立ち会わせてもらったというのは、すごい経験、本当に得がたい経験をさせてもらったなと思ってます。

本当に充実していたし、今から思えば一瞬だったという感じもするんですけど、私は本当は書面を書くのも得意じゃないし、すごく時間がかかるタイプなんですけど、アドレナリンのおかげか、協議当日のうちに書面を出すとか、翌日出すとか、自分でもよくやったなと。自画自賛みたいで恥ずかしいんですけど。それはやっぱり、言葉にできない理不尽さをそのままにしておけないというもので、みんなで共有できていたからこそかなと思います。会期が終わってもまだ警備とか交渉している夢を見るくらいロスが大きかったです。（笑）

一方で、各地で開催できたという実績にもなっているんですけど、言葉が適切かわかりませんが、たったこれだけの展覧会を開くためにここまでしなきゃいけないのかという。大阪の判例もちゃんと判断してくれたのはよかったんですけど、これだけの協議を重ねないとやれないというのが、判例上も実際の積み重ねも今まだその段階にあるんだということは、それでいいのかというのを問い続けていかなきゃいけないと思っています。申請を出したらすぐ許可が出て、「はい、どうぞ」と誰でも見に来られるような社会にしていかなきゃいけないというのはまだあるかなと。監視とか市民活動の制約はいろんな場面で強まっているので、本当に道半ば、憲法上保障された権利を回復する途上にあるのかなと思います。

熊本　なんでこれだけアドレナリンが出たのかというところで、不正義、不合理なことがあってそれはそうだと思うんですけど、もう一つ、あくまで「不自由展」をやるんだ、実現するんだ、作るんだということを皆さんとしては当たり前にそれでやってきている。

弁護士からすると損害賠償請求とか違法性を認めさせるとちょっと物足りないというか、なにか争っているだけというか、勝ったといっても何かが直るわけでもないし、何かが新しくでき上がるわけでもない。絶対やるんだ、企画を作るんだというところは、弁護士たちの中でなかなかないというか。そこでスイッチが入った、エネルギーが入ったかなと思いますね。何かを作るというのは、すごくいいことだなと思います。

近田　弁護士が入って一緒に運動する形は他の市民的な運動だとあまりない。それはどのように皆さんは理解されていますか。

山本　地域で濃淡があるんですよ。弁護士との関わりは地域の中でいろいろです。愛知は一番いい関係だった。東京もね。

高橋　根本的には行政が、河村市長は憲法の最高裁の判例の方は向いてたけど、本当に市民の方を向いてくれたのか。現場サイドでは市民の方向にいてくれていましたけど、名古屋市としてもうちょっと調整してくれるかなと思ったのに、実際は文化振興事業団に丸投げだった。もうちょっと市民の権利の方を向いてほしかったなというのはあるんですよね。

熊本　私は一緒にやってみて、弁護士としての役割を使ってもらうということはあるけど、弁護士自身が市民として、何か「これをやろう」と実現するにはどうしたらいいのか。「実現したい」と思わないと。結局、弁護士に頼んでいる、やってもらっているという変な関係は絶対になしにしなければと思うので、弁護士自身がやりたいとするようにならないと、と思います。

久野　私は代理人なのに、主催者みたいな気持ちになってきて、つい「私たち」と言っちゃって良かったのかなと思ったこともありました。（笑）

高橋　主催者ですよ。

近田　そうですね。弁護士のみなさんとつなげる会の実行委員会の立場は違っても、「私たちの『表現の不自由展・その後』」をなんとしても開催したいという思いは共通して、取り組みましたね。高橋さんが言われた通り「主催者」ですね。

思えば２０１９年の「表現の不自由展・その後」展示中止から、愛知県知事リコール不正署名など表現の自由をめぐって多くのことに対応し、こうして展示会開催にこぎつけたエネルギーの源はなんだったのか、座談会でこもごも語っていただきました。私は日本社会が排除しつづけてきたものへの抵抗と不服従を貫き行動したことは、小さなことかもしれませんが、次への道へつなげたと思います。課題も残されています。これからもそれぞれの場で声をあげ、行動しつづけたいですね。本日はありがとうございました。

◉「表現の不自由展・その後」をつなげる愛知の会メンバー座談会

我々はそのとき、何を思い、行動したのか

2023年4月3日、2019年8月の「あいちトリエンナーレ」の企画展「表現の不自由展・その後」の中止事件から、2022年の「私たちの表現の不自由展・その後」の開催までを取り組んだメンバーで3年間を振り返りました。

ここまで続くとは思わなかった3年間の闘い

司会＝イ・ドゥヒ（以下、イ）　自己紹介と関わったきっかけ、展示会での役割などについて話してください。

久野綾子（以下、久野）　〝慰安婦〟の問題に関心があってかかわるようになりました。

キム・クァンミ（以下、クァンミ）　3年間会計を担当しました。展示会に関わったのは2019年のあいちトリエンナーレの「表現の不自由展・その後」からです。8月2日に河村市長がヘイトとも思えるような発言をしたこともあって、もしかしたらこの展示会が中止になるんじゃないかと思いました。「平和の少女像」の展示に対して、政治的権力を持っている人とか、ヘイトをするような人たちが非常に攻撃的に出るんじゃないかという不安があって、8月3日に見に行きました。見に行ったところ、今日で中止になると知って驚きで

した。まだ2日しか開かれてないのに、結局中止になって「再開を求める愛知の会」、そして２０２１年の展示会、２２年の展示会と3年間一緒にやってきました。

キム・ヨンア（以下、ヨンア） 私の最初のきっかけは２０１９年の「表現の不自由展・その後」です。作家さんへの韓国語の通訳がいないということで参加したのがきっかけです。２０２１年の展示会にはボランティアで参加したんですけど、ちょうど私が参加した日に中止になってしまい、それでみんなで一緒にデモに出かけて、２０２２年に久野さんから実行委員会に誘われて参加しました。

谷口亙（以下、谷口）「表現の不自由展・その後」が中止になったことについて、危ういものを感じました。河村市長の検閲と思われる「日本国民の心を踏みにじっちゃいかん。これが芸術作品か」と発言がありました。自由に写真を撮りたいと思う私としては、権力者によって「これは良い、これは悪い」というふうに判断されることがまかり通れば、まさに戦前だと思いました。国家目的、戦争遂行に合うものは良いと、それ以外は不適当ということになりますから。展示会では市民展示を担当しました。

高橋良平（以下、高橋） 主に施設や行政との交渉を担当しました。自分が関わったきっかけは、展示会を見る前にすごく騒がれているのを聞いて、実際に自分の目で見て良い展示会だなと思ったら次の日に中止になったことを聞きました。それで展示中止に抗議する活動に参加して、関わるようになりました。

近田美保子（以下、近田） 関わったきっかけは、２０１９年5月に「韓国併合１００年東海行動実行委員会」（以下「１００年行動」）の企画に参加したことです。日本統治時代の朝鮮での大日本帝国からの独立運動のあとを訪ねる旅でした。そういう中で自分自身の胸の中に強く迫るものがあって、心に強く突き刺さっていたんですね。

8月に「あいちトリエンナーレ２０１９」の「表現の不自由展・その後」を河村市長が中止するかもしれな

いから、次の日に行こうと思ったけど、もう見られなかったんです。韓国を訪ねたメンバーの方や皆さんと同じ思いで、この歴史改ざん主義の流れが強まって、表現の自由が奪われてしまう危機感と、自分がやらなければみたいな使命感がありました。それから3年間は河村市長の問題や大村知事リコールなどとんでもないことが次々と起こって行動せざるを得なかった。

展覧会での役割は1回目では市民の運動の展示を担当しました。2回目は表現の自由が奪われた福井の高校演劇「明日のハナコ」の企画上演と、「平和の少女像」の作家とのトークイベントの司会を担当しました。

長谷川芳子（以下、長谷川）　私が参加しようと思ったのは近田さんと同じで、「100年行動」に参加して自分が歴史を知らなかったことを知って、「あいちトリエンナーレ2019」も行ったんですけど、私は見れなかった。参加したのは、現場に立つことがすごく大切だという思いがありました。沖縄高江への愛知県警機動隊派遣違法訴訟に関わって、同じことだと思うんですけど、私たちは沖縄の怒りを私たちの怒りということで、いかに自分事にできるかということは大切なテーマで、それでずっと自分自身に問いかけながら関わってきたんだと思います。役割はあまり記憶にないけど（笑）、皆さんについていきました。ありがとうございました。

八木巌（以下、八木）「あいちトリエンナーレ2019」が始まる直前ぐらいにフェイスブックとかで「平和の少女像」が展示されることを知って、見たいなと。もう一つは、これは守らなければならないというのが回ってきて、これはどういうことなんだ。名古屋市と県がやるのに、なんで我々が守るんだ。守るのは県だろうと思いました。

僕が行ったときはまだやっていたので、平穏だったんですよね。その後で、中止されたことを聞いて、これはどう考えたらいいのかと。僕はNGOや市民運動の人たちに対する表現の自由や自由を押さえつけるような問題があると、世の中に情報発信すると同時に弁護団とつないで、それらの問題を個別に解決する団体に関わっているので、この「表現の自由」の問題を提起したんです。そこで表面上は「河村市長のやっていることはおかしい」と言うんだけど、でも「これは絶対に問題になることが分かっていながら、こういうことをやった人たちにも問題があるよね」と明らかにそういう裏の意見があって、これは社会の分断を作るというふうに見られているような感じで。その間をどうするのかが僕の基本的な立場で、最初にどういうふうに関わろうかと思ったのが一番大きな動機です。役割は、ボランティアの募集と当日の人員配置をやりました。

神戸郁夫（以下、神戸）　私は2015年から辺野古の新基地に反対するコンサートを立ち上げて、それを広げていく過程で、市民運動をやっている皆さんと知り合いになりました。2019年の「あいちトリエンナーレ」の当時は、沖縄高江への愛知県警機動隊派遣違法訴訟が中心だったんですけど、そのメンバーから抗議の街宣をすると連絡が入ったのが直接のきっかけでした。

1991年に日本軍の慰安婦問題が明るみになって、93年に河野談話で日本政府がそれを一転認めていますね。94年に北朝鮮の核疑惑で非常にバッシングが強まったときに、朝鮮学校の女子生徒たちのチマチョゴリが切られるという嫌がらせが全国で発生しました。これには日本人の中に朝鮮に対する差別心が根強く残っているんだということを強く感じました。差別心のある人たちが、日本軍の慰安婦問題をなかったことにしようとする動きがどんどん強まっている中で、「平和の少女像」を見たいと思って、「表現の不自由展・その後」は絶対見に行こうと思っていたんです。そしたら見に行く前に中止になった。それで毎朝街頭で宣伝するよ、抗議するよということを聞いて、参加するようになりました。展示会での役割は市民運動展示の準備をしてました。当日は警備の担当をしてました。

山本みはぎ（以下、山本）　私はずっと日韓の問題について関わってて、2010年から「100年行動」

をやってます。日本はきちっと植民地支配を謝罪、賠償もしていない。1965年の日韓条約で全て解決されたと言ってるんですけど、日本軍慰安婦問題や最近の徴用工問題を見ると、歴史の改ざんというのを政府を挙げてやっているということがあるので、歴史を正しく見ようということで、いろんなことをやってたんです。

2019年の「表現の不自由展・その後」で「平和の少女像」が展示されることは知ってたんですけど、ただ自分で何ができるか、見に行って広めると言っても直前まで公開したらダメだということだったんです。見に行ったんですけど、中止になったのを知って、これは黙っているわけにはいかないと思いました。たまたま韓国の植民地支配のツアーの報告集会が8月3日にありました。そこに集まったメンバーたちと一緒に翌日から抗議行動を始めたんですけど、ずっと続くとは実際には思っていなかった。だけど、これは本当に大きな問題で、歴史の改ざんの問題、表現の自由の問題です。また、これは国際展なわけだから、日本だけでは済まない問題だと思いました。展示会での役割は、1回目はボランティアの募集と展示会当日の全体の調整、それに名古屋市との交渉をやりました。2回目も交渉と全体の調整をやっていました。

具志堅邦子（以下、具志堅）　私は、日本美術館付属の研究所で絵を学んでいて、当時の先生たちが戦前に自分たちの絵が検閲にあって降ろされた話をしていたので、そのことに関しては非常に敏感でいました。

私も沖縄の問題でずっと名古屋で活動をやってたんですが、その流れの中で韓国の人たちとも知り合って。考えてみたら沖縄のことばかりで、同じように苦しい状況にある韓国のことを知らなかったので、東海民衆センターが韓国の労働者の大きな大会に参加するというので一緒に出かけました。そこで、展示されている場所を訪ねたり、韓国の国鉄労働者と交流したりする中で、日本の植民地政策に対して腹の底から怒りが湧いてきました。それから戻ってきてこの不自由展の事件があった。

河村市長の発言にしても、だいたい検閲する側は作品のことなんか何も分かっちゃいない。「平和の少女像」に傷つけられる日本人がいるとしたら、それは日本人の方が悪い。あれを見て傷つく方がおかしいじゃないかということさえ彼らは分かっていないと思いました。そして、8月2日に2時間並んで15分会場にいました。

その展覧会は非常に意図的で、入ったときに大きなカーテンをくぐり抜ける。まるで子宮に入るようにカーテンを開けました。そうすると、大浦さんの天皇の映像の音が非常に情念的に私たちを包みました。そこに入っていくと、日本政府が抑圧した沖縄のテーマ、天皇のテーマ、それから「平和の少女像」を含めた日本軍慰安婦のテーマ、そういったもので日本の歴史は何をしたかということを私たちはそこで体験するわけです。ひと回りして今度その子宮から出るときに、私たちは生まれ変わってなければならない。そういう構成になっていたと思いました。そして、8月4日に抗議する人たちが美術館に集まるというので私も出かけました。そこで多くの仲間たちを得て、その日に集まった人たちがその場で会を立ち上げたという記憶です。

私は大してやれることもないなと思っていたんですが、私たちも作品を展示するという話が出て、作品の展示ぐらいなら役に立つかもしれないと思って参加しました。幸い安世鴻さんの作品が名古屋にあったので、安世鴻さんの作品をお借りして、「平和の少女像」と大浦さんの作品、それだけで1回目の展覧会をしました。それがわずか2日で中止に追い込まれた。その後の皆さんの運動の中に学ぶものがいろいろありました。

イ　私は「平和の少女像」が展示されることを知っていて、何かやらないといけないと思いましたが、何か妨害があるかもという話は聞いていたので、展示場にいるだけでもいいんじゃないかと思って他の方と3日間、会場にいました。それでも、ちょっと不安はありました。

3日の夜に「100年行動」の報告会があったんですけど、その前に中止が発表されたんです。その日の夜に「平和の少女像」の作家さんから連絡があって、「少女像」だけでもどこかで展示できる場所はないかと言われました。報告会の場で、皆であちこち電話をしてみたんだけど、やっぱりない。だから、もうしょうがないなと。そのとき、私たちは中止されると作品もその日で全部撤去されるだろうと思いました。その後は気がつけば活動をやってたという感じですね。展示会での役割はクラウドファンディングを担当しました。

嬉しい、悲しい、忘れられないことは？

イ　記憶に残るのはやっぱり飲み会ですね（笑）。２０１９年の総括集会のときに、これからどうするのかも決まってなくて、何でも話し合おうということでやったんだけど、そのとき私たちは繋がってるんだ、こういう人たちと一緒にやってきたということにすごく感動しました。

再開が決まったとき、河村市長が座り込みをやると言ってましたよね。それで私はすごく怒って、これは放っておくわけにはいかないと思いました。「お前（河村市長）がそんなことするんだったら、俺はその隣でハンストするぞ」と思ったんです。山本さんに連絡して私は明日から河村市長の隣でハンストに入ると言ったら、絶対ダメだと。やっても日本人がやらないといけないことなのに、そこで韓国人がやってはいけないと言われました。私は目立つためにやるわけではないから、皆さんからの最低限の合意というか支援が必要だから、相談したわけなんです。でも、山本さんに強く止められてやめました。一人の妄想で終わったんですけど、そういう記憶はありますね。

神戸　忘れられないことは、２０２1年の1回目の「私たちの『表現の不自由展・その後』」が中止になった後のことです。いろいろと名古屋市との交渉があって、その最終局面で7月10日の土曜日の夜にギャラリーへ行って協議をしてほしいと高橋さん、山本さんと行きました。ギャラリーで3時間ぐらい待たされたんですね。あのとき、担当者が来る来ないとか言いながら、結局6時半ぐらいからやっと話し合いが始まった。一番印象的なのは、そこの中で文化振興室の徳永室長という方が中心で答えられるんですけど、本当に不誠実な答え方だなと。2時間以上ずっとやってるんですけど、同じことを何回も繰り返すんですね。そのときのメインは、私たちは再開をしてほしい、そのためには警察を同席してもらってどうやって警備をするかということを相談しないと再開できないだろうという話をしたんです。徳永室長は、なかなかそれができないんだということをうだうだと弁解していました。警察に聞くと、名古屋市が再開をすると決めたら、警備の協議に応じますと言うわけですよ。これはもうずっとぐるぐる回るだけで、徳永室長も何回も同じような発言を繰り返し、結局時間切れになったことがありました。

そのとき、久野弁護士はもう涙目な感じで、なんで再開してくれないんだということを一生懸命訴えてみえたのがすごく印象的だったです。そのとき、僕は本当に名古屋市って不誠実な組織だと強く感じて、それがその後のいろんな交渉とか、2回目の不自由展に向けての交渉の中でも、やっぱり変わらないなと感じました。それが一番この3年間で印象に残ったことです。

山本　印象に残ったのは2019年の8月4日に中止への抗議のスタンディングをして、高橋さんが一番最後に発言してくれたんですよね。そのときが初対面だったんですけど、その後サイゼリアに行って、貸し切りみたいな感じで集まって、昼間だったんですけど、暑いから泡の出るものも出て（笑）、「このままじゃダメだ」ということで会ができ、次の日からスタンディングをやることになったんですよね。そのとき一番推進力になったのは高橋さんで、高橋さんがいなければこの運動を3年間続けられなかったなと思います。なんでも文章書くよ、これやるよみたいな感じだったので、この人すごいなと思って（笑）。いなかったら絶対できなかった。

もう一つは2021年の7月に中止になったとき、8階の控室に十何人も観客が来てたんです。私は、本当に卑劣なことをやるなと、涙が出そうになった。だから、あれで絶対あとに引けないなと思いました。本当に悔しかった。

近田　そのサイゼリアに喪服姿で具志堅さんと駆けつけたの覚えてない？　喪服だったんだ私たち。（笑）中止させられたときに、これで表現の自由は死んだんだと、サイゼリアに行って喪服姿で酒飲んだ。（笑）

もうひとつ、あのハンドマイク。スタンディングを連日やるとなったときに、私も絶対連日やらなかんと思って、それでハンドマイクをロッカーに入れて、午前中の仕事はキャンセルしてやり続けた。私が一番スタンディングが多かったなと思ったら、実はもっとすごい人がいた。それが山田さん。だから本当に市民みんなの力でバトンをつないだというのが印象に残っています。今でもロッカーを見ると、どのロッカーならハンドマイクが入れられるかと探してしまう。（笑）

もうひとつは、2022年の展覧会でソギョンさんとウンソンさんとのトークの司会をやりました。そのときに「こうやって展覧会ができたのは市民の皆さんの力です」と言われました。それがすごく嬉しかった。なぜかというと、2019年の「あいちトリエンナーレ」中止のとき、仕事の関係でソギョンさんにインタビューしたことがあるんです。そのときに、「韓国では、表現の自由や言論の自由が侵害されたときに声を上げるけれども、日本ではあまり声を出さないように感じた。私たちは独裁時代でも刑務所に入る覚悟で闘ったのですが、日本社会では行動や自覚が恐怖に負けているように感じた」と言われました。そのときに日本の私たちは、本当に抗って闘っているのかということを感じてたけど、3年間抗って、そしてソギョンさんに、やっと「皆さんの力でできましたね」と言われたことが嬉しかったです。

もうひとつ、リコール運動のチラシを作ったときに連絡先の携帯番号が間違ってましたね。（笑）誰が気づいたのかな。抗議電話なんかがあったらいけないということで、謝りに行くことになって、高橋さんと2人で新幹線に乗って行って、東京の喫茶店で待ち合わせしたんです。どんな人が来るのかとヒヤヒヤしてたら青年が来て、いい人でした。いくつか電話がかかってきたみたいけど、事情を話したら「表現の自由は大事ですね」みたいな話をしてくれて。お土産を渡して帰ってきて、本当にホッとしたというか、とても嬉しかったです。

具志堅　皆さんの活動でたくさん学ぶことがあったんですけれども、非常に強い印象を持ったのは、1回目が終わって2回目の「不自由展」再開。残った4日間を取り戻そうという。再開のため、行政と施設側とのやりとりの中で高橋さんが、「僕たちはあきらめませんよ。これでダメなら、また来年やりますから」と言った。あの一言が実はすごく効いたんじゃないかと思ったんです。彼らもまた次やられたら、かなわないじゃないですか。（笑）

それとその運動の流れの中で展示会が始まり、非常に来場者がたくさん集まり、気分が上がったときに、施設側との約束以外の行動をしたことがありました。そのとき久野弁護士が「ここまで積み上げたことを壊すようなことはしないでください」と強い発言をされて、「ああ、そうか」と。この闘いというのは、こういうポイントもあるんだなというのを学びました。

最後は私たち主催者と警察と行政が一体になってやって成功したわけですが、本来の形というのはそうじゃなきゃいけないんですよ。だから、この市民運動でやれたというのは、本来のあるべき姿を私たちは実現したんだということです。今後の運動も簡単にいかないにしても、私たちは市民が当然得るべき権利をどう実現していくかという流れを見た気がして、私の中にすごくそれは握りしめて離さないでおこうと思っています。

ヨンア　キム・ソギョンさんとウンソンさんの通訳が2人必要で、当時大学院生や留学生、あるいは朝鮮学校の先生などでやりました。その中で、一昨年亡くなられた名古屋大学の浮葉正親先生がとても印象に残ってるんです。そのとき、最後にマスコミから質問を受けるときに浮葉先生が通訳をしてくださったんです。２人のテーマは日本軍慰安婦の少女像じゃないですか。「表現の不自由展」は、私は皆さんと同じく一人の市民として参加できるんです、抗議もできる。だけど朝鮮半島からやってきた人間としては、「どうして被害者側の私がこれをやらなきゃいけないの」という感覚がありました。そこに複雑な気持ちがあったんですけど、そのとき、浮葉先生が「いいよ、僕がやるよ」と言ってくれた。当時彼は闘病中だったんですよ。そのときすごく感動したんです。何とも言えない、「こういう日本人の市民がいるから、私はここで生きていけるんだ」と、すごく感動した覚えがあります。そのあとみんなで飲みに行って、それが浮葉先生と一緒にビールを飲んだ最後の時間でした。

クァンミ　私は展示会のときには作品関係や市民運動関係ではなくて会計をやってたので、展示会そのものの印象はあまり強くないんです。でも、やはり２０１９年の再開を求める運動のときが非常に強く印象に残っているんです。私はその前に10年以上日本を離れていたので、再開を求める活動のときに出会った人たちが本当に多いんですね。活動の中で自然に親しくなったし、長く付き合える人間関係ができたということで、私の人生の中では貴重な時間だったかなと思います。

今は名古屋に住んでいないので、再開を求めるときのスタンディングにもあまり積極的に参加はできなかったんですが、そのときに名古屋だけじゃなくて、いろんなところから1日も欠かさずスタンディングに参加する人がいたときに、こういう人たちがまだまだ日本にいるんだなと。そこで勇気ももらったし、ちょっと今日はサボろうかなと思うときも、彼女たちに負けずにやりたいなという思いが出てきたのも事実です。

先ほど、喪服で集会に出たと言われましたよね。私は隣にセットンチョゴリを着て一緒にやろうかなと思ったぐらい、かっこいいなと思いました。

谷口　ひとつは中止になって2日目でしたか、市役所に抗議に行って正門のところで5名までと守衛に止められ、そこで会議室を設けてくださいと言って、向こう側は「玄関先でやろう」という話になって、押し問答がありましたよね。そのときマスコミも来てたし、すごい人でしたね。僕にとってはすごい感動的でした。今までずっと職場の労働組合でやってたんですけど、当局とやりあってもなかなか埒《らち》が明かず、一方的にこっちは負けていく。そういう流れのときでしたから、そういうのを経験した後でガーッと人がたくさん集まり、それでグッと当局側に押していくみたいな場面は、感情的な面で言うとグッときた。そういう場面でした。

もうひとつは、大村愛知県知事のリコール運動があったとき、河村名古屋市長が高須克弥氏と一緒に県庁前で今から出発式をやるんだと、市長が日の丸を持って県庁に向かってアピールしてるんですね。そういうのを行政の長として果たしてやるかなという、自分にとっては前代未聞のそういう場面で、こんなことあるかという驚きでしたね。「これが市長か」と。

高橋　僕がすごく印象的なのは、ひとつは最初の抗議活動があったときに水などを用意してくれていた方がいて。在日韓国青年同盟の人ですよね。それにすごく感動しました。その方がサイゼリアで、「全国各地に『平和の少女像』がなければいけないんだ」とおっしゃいました。自分としても日本の植民地主義の問題は昔から関心があったのですが、それを自覚する日本人はほとんどいないか、ほぼ左の人たちだけなんで、やらなければいけない運動だなと思ったんですよね。

片方で、リコール反対運動のときに集会に初めて来てくれるような人がいて、「横断幕を誰か持ってください」と言ったら全然知らない人が来て、「私持ちますよ」と言ってくれた。自分たちは知らないいんだけど、こういう問題に興味、関心があって参加してくれる市民の人がいました。リコール反対のチラシを県内で配りましょうと言ったときに、いろんな人から反応があって、それもすごく印象的でした。

あと最後、2022年に再開できたときも本当にいろんな人が見に来てくれて、そういう市民たちと触れ合うことができたというのがすごく自分にとって印象的でした。

長谷川 最後、展示会を成功したときがすごく嬉しかった。私もスタンディングは続けなきゃいけないということで綱渡りのようにやってたので、本当に成功したということが嬉しかった。

あとは東京から来られた岡本羽和さんが感じたことを率直に言っていた言葉がすごく印象的で、彼女は「中止になってこんなにたくさん人が集まるの」とすごく感動してくれたことが、ああいうふうに率直に言ってくれたことで自分たちがやってることが分かったということです。

八木 ちょっと違う話ですが、河野太郎がアメリカに行って北朝鮮と断交せよみたいなことをあちこちで言いふらしていることがあって、それに対してこれは絶対許せないなと思っていたところに、2019年11月にG20の外相会議が名古屋で開かれると。そのときの外相は河野太郎だったので、そのG20外相会議に物を申す会議みたいなのを準備していて、その分科会の中で「表現の不自由展・その後」のことを出したんです。皆さんに経緯を説明したら、「それは河村市長がおかしい。大村知事の言っていることが正しい」という流れの中で、「いや、でもこれはどっちもどっちだよね」みたいな意見が結構出てきて、僕は司会として何度か「皆さんどっちもどっちでいいんですか」と言ったらみんな「うーん」と言う……、これが一番個人的に残っている印象点です。

二番目に印象的だったのは、東京、大阪、名古屋で結構「平和の少女像」が認識され、どういうものなのかということが分かってきたことです。名古屋で起こったことが、あちこちの市民運動の人とかNGOの人の中にも入ってきているなということで、名古屋で成功したことが二番目の印象的な場面です。

久野 二つあって、一つは市民活動。誰かが動員して人が集まったんじゃなくて、自然発生的にたくさんの人が集まって、しかも毎日スタンディングをやった。私は60年・70年安保のときなどに毎日学校なんか全然行かなくて、テレビ塔の下に大勢集まって、栄から名古屋駅までデモ行進を深夜もやりましたが、それは学生連盟とか、国労などが主導して動員されて参加という感じだったんですね。

ところが8月2日に河村市長の発言を受けて皆さんが集まって、スタンディングを最後の日までやった。あれにものすごく驚きました。皆さん、お互いにくじけないで続けてきたこの活動、これでやっと去年の8月に終わった。これで終わって、もうきれいさっぱりと思ったら本を作るなんてね。（笑）本当にいい仲間ができて、これからもずっと大事にしていきたい。一番言わなきゃいけないことは、この展示会を2回もやったっていうのはね（笑）、これはすごいことですよ。市との協議だって、本当に最後の最後まで腹立たしい限りでしたけれども、あんな不思議な体験もしました。それにマスコミも振り返ってみると、ずいぶん連日大きく取り扱ってくれて。私たちが宣伝しなくても、みんなが宣伝してくれたからね。

そして一番は2022年の不自由展のときに、鑑賞した方の3人に1人がアンケートを書いているんですよね。全部読んだんですけれども、こんなに真面目にきちっと美術をしっかり見てる一人一人の方が、年配の方もいらっしゃるし、若い方もいらした。本当にいろいろと大変だったけれども、やったということがよかったなぁ。またやりたいなというぐらい。（笑）

もし、この3年をやり直せるとしたら一番やりたいことは？

高橋　3年間をやり直せるとしたら、中止から再開までの期間に市民同士の対話討論会を開催したかったです。当時はとりあえず再開を目指すというところで、そのアピールに専念してたんですけど、いろんな思いを持っている人がいたと思うんで、そういう思いを共有する場を作れていたらよかったのかなと思います。

近田　やっぱり私たちの手で「表現の不自由展・その後」と市民の活動を何の制限もなく、金属探知機もなく自由に、たくさんの人に見てもらえるようにやりたい。もうこれ以上やりたくないというよりも、もしやれるんなら本当に自由にやりたかったです。

山本　２０１９年の「表現の不自由展・その後」が中止になったときに、私たちは市民の立場で活動したんですけど、作家も「サナトリウム」とかいろいろな活動したんですね。作家たちと一緒に活動がもう少しできたらよかったのかなと思ったんですよ。海外の作家はボイコットしたじゃないですか。でも、日本の作家の動きが、どういうふうに考えてるのかなかなか私は見えなかったので、もしさかのぼれれば、もう少し一緒にやれるような何かがあったかなと思いました。

それから警察と行政と市民と一緒になってやったんですけど、展覧会本来の姿では決してないと思うんです。あんな過剰な警備をしながらやるのは、日本の中の歴史改ざんとか社会的な問題があるから仕方がなくてやってるわけで、そこを解消するようなことをしないと状況は変わらないかなと。

神戸　こうなってほしかったということは、中止を決めた２０１９年になぜ中止を決めたのかが今でも心残りで、警備をきちっとすればできたと思うんですよ。僕は辺野古とか高江の活動をしてたので知っているんですが、沖縄ではあれだけ愛知県から機動隊を派遣して抗議を抑え込んでやったわけですよ。ほんのその一部でも愛知県警がきちっと警備をすれば、絶対できるんですよ。それをなぜしなかったのかというのが一番疑問だし心残りだった。

そこでちゃんと継続して「あいちトリエンナーレ」が2カ月間やられていれば、僕らがやった「表現の不自由展」よりももっとたくさんの人たちが展示を見られたわけです。あの展示を見てもらうことが僕らの活動の一番大事なことで、多くの市民にこのことを知ってもらう。「平和の少女像」とか、天皇の写真のこととか知ってもらうことが一番大きいと思ったので、僕はあそこで中止されたことが一番の残念なことだった。

谷口　２０２１年に破裂物をギャラリーのポストに入れて、館長がそれを持ってきてギャラリーの展示室で爆音がしたと言うんですけど、それも本当かどうかもちょっと作文されているようで、もっと今回の犯人もはっきりさせ、公式に発表してほしいという思いがあります。

八木　一般的には、突如「平和の少女像」という話が出て中止されて爆竹みたいな話になって、世の中的には大騒ぎしているところから始まっていますね。そもそも「平和の少女像」がどういうものであるとか、そういう情報を持って見に来ないと、「みなさん見てください、それから考えてください」と言っても、わからないんですね。

津田大介さんの話を聞いていると、そういう刺激的なやり方がよかったみたいな言い方もされているので、そういう方向もあるのかもしれないですけれども、それでは爆竹の話になってしまうので、やっぱり落ち着いて見られるような状況を事前に作っておくということができればいいのかなと。

長谷川　コロナ禍でなかったらどうなったのかというのと、最初の段階では愛知県芸術文化センターでやりたいと思っていたのに、すごいハードルが高かったから中区の市民ギャラリー栄でやったので、やっぱり愛知県の施設でやりたかったなとは思います。

ヨンア　3年もかかるとは予想しなかったから、できなかったことですけど、みんなの運動をドキュメンタリーみたいに動画として残したらすごくいいものができたんじゃないかと思っています。もっと規模を小さく言うと、「不自由体験」だけでも動画で最初から撮っておけばよかったなと思いました。

クァンミ　「表現の不自由展」が「あいちトリエンナーレ」でできれば、公共の場でできるんだという自信感、日本社会の自由度を測ることができたと思うんです。

「私たちの『表現の不自由展』」では、参加型のトークイベントや不自由を体験するコーナーがありましたね。自分で発言し、体で感じていく。それが自分で考える機会を作って人の意見を聞いて、また考えてそれは行動に繋がっていく。

他の場で自分たちが活動するときに学んだことはたくさんあると思うし、広める意味では、メディアをいかに利用していくかが私たち市民運動の課題じゃないかと思います。

具志堅　ヨンアさんが言った記録だけが、やれてなかったのがちょっと残念。岡本有佳さんはしきりにビデオカメラを持って撮ってるんですよ。記録することが非常に運動の中でも重要だなというのを自分の体験のひとつの重要なキーワードとして入れておこうと思ったのでよかったです。私自身は、特に3年間やり直せるとしたらということは何もないです。（笑）

イ　この運動のスタートがそもそも受け身だから、今考えてみたら奴らのことをすごく批判をしてたんだけど、実際、私たちがその背後にある歴史的なことを市民たちに伝えることはほとんどなかったですよね。歴史修正主義は何なのかということの情報の発信はあまりできなかったんですよね。もしできたら、これをきっかけに皆さんに知ってもらうという活動もできたらいいかなと思いました。

怒りを原動力に

イ　2021年の中止事件の日は仕事でいなくて、LINEを見ても何の話かよくわからなかったんです。それでバスに乗って現場に向かいながら、涙が出て体が震えてて、怒りが沸いてきましたね。そのときに移動しながら安世鴻さんとやりとりがあって、作家にも申し訳ないという気持ちもあったし、やめたいとかそんなこと考える余裕がなかったんですよね。

ヨンア　中止になったときの気持ちは怒りでしたね。その怒りをどこにぶつけるかということでしたけど、そのときに皆さんに出会って良かったなと思ってます。それでなにかバランスが取れているような気がする。ただ単に怒ってるだけじゃ何も変わらないから。

神戸　僕もヨンアさんと一緒で、この中止事件のときは本当に腹が立ちました。再開できないと分かったとき、展示会を絶対やるという感じにはなりました。この活動以外の、自分のいろんなことをつき動かしている原動力になっているのは怒りというのがあります。そういうことをやってくる警察や国に対する怒りがあって、それをなんとかしていこうという形で、次の活動に繋がっていったんだなと今回も思いました。

やめたいと思ったことは、２０２０年から２０２１年、リコール反対運動をやる話になったときに「ああ、やりたくねえなあ」と。（笑）「俺は展示会をやりたいと思ってるのに、誰かやってくれるんじゃないの」と。でも誰もやらないもんだから「しゃあないな」とついていった。

近田　私もその日は当番じゃなかったのでＬＩＮＥで知って、爆破物があるから、危ないから退去せよとかと言いながら区役所では平然と仕事がされて、コロナワクチンも打ってて、展覧会場だけだったと。「なんなんだ、これ」という怒りですよね。

中止しなくても開催できたんじゃないかというのが一番大きい気持ちで、本来、表現の自由を保障しなくちゃならない公の行政が、憲法で保障されている私たちの表現の自由を守ってくれない。怒りが湧いて、それがエネルギー。それから、一緒にその思いを共有してくれる人たちがいたのがすごく心強かったです。

山本　２０２１年の中止のときには、８階のフロアに観覧者が待機していたんですね。だから、せっかく来てくれたのに、この人たちに見せられないんだというすごい悔しい気持ちでした。本当に涙が出ましたね。

そのあとは市の対応。施設の敷地の外に出ろとか、市民の権利を全然保障しないし、その後の交渉でも発言する人は2人だとか、人数制限をして上から交渉するような態度を取ってきたということ。やっぱり河村市長かな。みんな言ってるけど、怒り、理不尽さをすごい感じましたよね。そういうのが持続をしてきた力になったのかなと。

やめたいと思ったことはちょっと言いにくいんですけど、東京展のときに東京の人に「いついつまでは公開しないでくれ」と言われて、それを弁護士にだけ話をしたということで、高橋さんと私が弁護士事務所まで行って、「ぜひ東京展に行ってください」とこっちからお願いをした。それから今後の展覧会の参考になるつもりもあって、ちゃんとボランティアとして行った。確かに皆さんにはいろんな事情を説明しなかったのは悪かったと思うんですけど、そのときに「信頼関係が……」と言われ、自分の中でググッと落ちてくるものがあって、そのときは本当に力が抜けた。「本当に、私続けられるのかな」としばらく眠れない日が続きました。

長谷川 最初は再開を求めていたので、そこで終わるのかなと思ってた。私が続けていったのは、人とのつながりがあったからだと思います。再開のあたりは、そんなにやるのかなと思って、なんとなくメンバーとのつながりから始まるということで続けたのかなと思います。

やり直せるなら、中止事件のときに予定があって現場に立ち会えなかったこと、その現場にいたかったというのはあります。

高橋 2021年の郵便物破裂のときには本当に何も考えなくて、まずは安全確保ということで、今考えても情報が限られたときには仕方なかったと思ってるんです。でも、まさか自分たちが当事者になるということもあるんだなというのがひとつです。

あともうひとつ、市役所の前で再開を求める交渉をしたときの話なんですけど、僕は半分ちょっとあきらめてたというか、ある種の大衆的な追及を一回やって、それで終わりになるんじゃないかなと思ったんですね。そのときに岡本有佳さんが「ちゃんとアポを取れ」と、すごくつっついてきて、「はい、わかりました」と。それで弁護士と一緒につっついたら、その日の夕方の話し合いで首の皮一枚が繋がった。それもあって警察署に行ったり、いろいろやったりしたというのがあったんで、今でも岡本有佳さんに感謝してます。

そのあとも夕方に交渉が終わってから、記者に話をしなきゃダメなんだということをすごく言って、名刺を岡本有佳さんが集めてくれて、それで連絡してくれたりしてたんですよね。それですごく報道されて、今どういう状況かというのも伝わったので、本当にあの人のガッツというかハングリーさはすごいなと思いました。なので辞めたいと思ったことはなかった、辞められない。

クァンミ　２０１９年の「あいちトリエンナーレ」のときは見る立場だったので当事者ではなかったから、中止になったときには失望感が強かったんですけど、21年の「私たちの『表現の不自由展・その後』」は当事者であったゆえに怒りも大きかったです。中止になったときに「まず1階に降りてください」と言われて、その次は「敷地から出てください」とゴミを掃くような感じで言われるわけです。「こいつら、なんだ」と思ったぐらいでした。中止になったときに「再開を求めなきゃいけないね」ぐらいで済んでたら、そのときに終わってたと思うんですよね。言うべきことは言う。本当に大切なことだなと思いました。

始めたなら最後までというのが他のみんなにもあったと思います。いざとなれば裁判も望みますか、望まないですかと高橋さんが尋ねたときにも、できればやりたくないわけですよ。でもここでは引けないというのはあって、周りの顔をうかがったらみんながいるから大丈夫だろうと。それを頼りに裁判をやるならやろうと思いました。

谷口　僕は中止と言われたとき、地下の郵便局のあたりにいて、それで8階から山本さんが降りてきて、「みんな出てくださいということなんだよ。爆発物があったみたいだよ」と言われて「そうか」と思った。さっき言われたように「こういうことあるんだ」と、自然と受け入れる気持ちもあったんだけど、その反面、「これ絶対仕組まれてる」というようなことを思ったんです。なんかはっきりしないモヤモヤとした状態がずっとそのときありましたね。

やめたいとは一度も思ったことありません。「ここで終わる?」そんな感じですね。

具志堅　私が牽引してるわけでもないのでやめられないというのがずっと続いてたんですけど、最後の展覧会のときに、とりあえずこれだけは見届けなきゃいけないという感じでした。そのときに京都の展覧会のチラシの出来がすごく良くて見たいなと思って、ちょうど自分たちの不自由展の前でもあるし、行ってみたら本当に素晴らしく、すごくスマートでチャーミングにやれてた展覧会だったので、感動しました。

公共の施設から弾かれた人たちの展覧会が、実はこんなに素晴らしいんだというものを見せてくれる展覧会だったので、そういう「不自由展」ならやりたかったなと思います。ただ、私の場合は河村市長許してなるものかという抵抗という理屈だけが入ってきていたので、それ以外のことを私自身が受け止めることができなかったですね。だから、本当に皆さんが最後まで頑張ってくれて、お手伝いできたとしたら良かったなと思ってます。

八木　2021年のときは、最初は「外へ出てください」と言われて、それは何かあったんだからしょうがないかなと思っていたんです。そのうち、「ちょっと様子が違うぞ」と。周りは全然平穏だし、爆発物が爆発するような状況だったら全員退去しなきゃいかんはずなのに。疑問と怒りというのが湧いてきた。

ただ、それまで警備のことをやっていて体調が厳しくて、中止になったとき、「ああ、これいいな」と若干思ったことがあります。(笑)

あと、僕はやめるやめないというような立場ではないので、「俺は嫌だ」みたいな話はしたくないし、そういうときはわりかし引いてもいいようなやり方をしてきました。そういう立場の人は、やめるのかやるのかというようなことがあったかなとは思いますけれども、僕の場合は特にやめたいという感じではなかった。

3年間を振り返って言葉にすると？

近田　3年間を言葉にすると「怒った」「声を上げた」「行動した」「仲間ができた」「たくさん飲んだ」「頑張った」「開催したぞ」「金探反対」「ちょっと寂しい」かな。

神戸　一番この課題で思った言葉は、「勝つ方法はあきらめないこと」というのがあって、これは辺野古の合言葉なんですけど、それはどこでも通用するんだなと思いました。

山本　「道半ば」。私たちの不自由展は2回もやったんですけど、今の歴史改ざんの状況は全然変わってないわけで、河村市長もまだ市長に居座ってる。確かに世の中に与えたインパクトはあると思うんですけど、やっぱり「道半ば」。

高橋　3年間を一言で表したんですけど、「ドタバタ」です。（笑）

谷口　「早かった」、「貴重な経験ができた」。

長谷川　「皆様ご苦労様でした」と、神戸さんに近いんですけど「不屈の精神」でした。

ヨンア　「まだまだ表現の不自由さを感じている」。

クァンミ　今回の私たちの展示会の名前が「私たちの『表現の不自由展・その後』」でしたよね。本当に「私たちの」という言葉が3年間を牽引してきたと思うんですけど、「私たち」が主体になることによって、私が言うべきことだという自覚を持たせてくれたということですね。だから「私たちの表現」ですね。あと、今何が起きてるかということを「記憶し、記録」するということです。

久野　一言で言えば「よかった」、だけど「表現の自由、これから頑張るぞ」。

八木　今の話に近いんです。「結果オーライ」。（大笑）

イ　「怒り『と』つながり」、「怒り『の』つながり」。怒るべきことは怒ろう、私たちみんな怒ってつながったということじゃないかと思うんです。

具志堅　「道半ば」というのがいいなと思って聞いてたんですが、でもその中でも達成できたし、学ぶことがあったので、そういう意味では道半ばでありながら、山の頂上に例えれば「ひとつ峠を越えた」という感じです。

これからの課題は

神戸　今回のこの3年間の活動で、たくさんの見知らぬ方たちが参加をしてくれて、一緒に協力をしてくれてできたことは非常に良かったと思ってます。それは、中心にいる団体が集会やデモ、街宣をするから参加してくれる。そういう場所、受け皿を作ることが一番大事なんですよね。そういうことをする団体が他にもっとたくさん要るんじゃないかなと思ってたんですよ。

たくさんの人に呼びかけて「こういうことをしましょう」ということをする人たち、組織や団体が増えていかないと、この問題はどんどん縮小していくと思うので、我々の「つなげる会」がいったん終わった後に、「じゃあ、そういうことをまた別の人たちが引き継いでやってほしい」という状況にしていきたいなと思ってます。

ヨンア　ひとつはこの運動に参加している皆さんの高齢化。久野さんに誘われて入ってびっくりしたのが、私がこの中では若い方なんだということ。これから運動を広げるためには若いメンバーを誘うべきだと思うんです。
もうひとつは東京との関係かな。名古屋は名古屋でやっていたわけだから、名古屋は名古屋で頑張ってほしいなと。そういう意味では「明日のハナコ」とかはすごく良かったなと思っています。

八木　やっぱり活動のスタイルの違う人がいるんですよね。僕らの場合は、街頭で宣伝をして交渉をやって、デモをやって集会するというのだけれども、そうじゃないスタイルの人もいる。最近僕が関わった集まりの中で、「個々人が気づかないのに差別をしてしまう」という意味の「マイクロアグレッション」というのがあります。そのときに在日の人に来てもらって話をしてもらったら、学生さんが来ていて、結構感銘していたんですよね。そういう人たちとどういうふうに関わっていけるのかが課題だと思っています。

高橋　僕が思っていることは、植民地主義と非民主主義的な天皇制ですね。加害者性に対する自覚や認識が今ほぼなくなってきていて、それをどうやって自分の中で消化していくか、発展させていくかというのは大切な課題だと思っています。

山本　この3年間というのは、植民地主義の清算の問題の出来事なんですよ。今「韓国併合１００年東海行動」を細々とずっとやってるんですけど、弱いんですよ。やっぱり他者の権利をきちっと保障する、他者を他者として見ること、その視点が今の日本の社会は安倍時代から内向きになっていて、そこをやっていかないと、また「表現の不自由展」みたいな問題は起きるんじゃないかと思ってます。そういうところに今後も自分で関わっていきたいと思っています。

イ　運動というのはどっちかというと何かが起きたらそれに抗議する傾向が多いんじゃないかと思います。自分たちが先に動く運動はあまりないなと。一般市民が参加しない理由がいろいろあると思いますけど、そのひとつは「あの人たちは反対以外にやることがない」と言われる。自分たちから代案を示す運動。何かが起きる前に自分たちが先に動くことも必要かなと思います。

クァンミ　いかに世代を超えて歴史問題などを広め、共有できるような運動をするのか。ますます日本人自体が他者に対して閉鎖的になり閉塞してるし、異質なものに対して非常に拒否反応を起こすわけですね。個人の問題だけではなくて、日本は教育、文化、政治が長年の間にそういうふうになっているから、本当に難しいことだなと思うんですね。でも、これが正しいと思うことをつなげていく努力をしていきたいと思います。

近田　中野晃一さんが本で、「あいちトリエンナーレ2019」で起こった企画展の中止は日本の今を表している歴史的事件だと言われたことがすごく印象的でした。日本政府が今進めようとしている社会が過去の歴史を清算しない、教訓を学ばない。ひとつ希望があるのは、若い人たちが韓国に行って、韓国の文化に触れて、アイドルを応援したりする人たちがいることですね。顔が見える交流のなかで理解し合えることもあると思います。一方で、政治が一方的に対立を煽るやり方も注視していかねばなりません。

自分や他者の自由、人権がますます脅かされる時代に、おかしいと思ったことには声を上げて、おかしいと思っている仲間を見つける。進んでいくことこそが大事で、今課題として突きつけられてるなと思います。

もうひとつ、自分の娘や孫たちに自分の思いの押しつけではなく、伝えていって、共感する。身近な人たちに伝えて共感、共有しあえる関係をつくっていきたいですね。

長谷川　これをやったことで問題点がすごく出てきたと思うんですね。本来ならこんなことまでして開催するようなことではないはずなのに、3年間もかからなければならない現実を認識した。

マスコミの問題とか世代の問題というのはいろんな活動をしてても共通するんだけれども、結構若い人たちも人数は少ないのかもしれないけれども、やろうとしてる人たちはいる。昨日、金重さんの（名古屋市議選候補者）選挙事務所に行ったら結構若い人たちがいて、雰囲気もすごく良かった。少ない人数で「選挙に行こうよ」とやってるので、やっぱりつながっていくことが大切だと思いました。フラワーデモをやってると、結構若い人たちが来ています。みんなでひとつずつ地道に解決していくしかないんですよね。

具志堅　私は今、名古屋を離れて沖縄で何ができるのかと模索中です。沖縄にとってプラスに動いている人々は直接、辺野古へ行くとかはしないんですが、ただ沖縄の自立経済をどうするかというので、もともとある自然をどう活用していくかを丁寧に模索している人たちがいます。

一方で小林武氏が批判したみたいに、島社会というのはすごく閉塞性があって、一人の実力者がそこで長いことのさばってたり、あるいは障害者、知的障害を持った人を自宅監禁したり。その中で格差もすごくて、金持ちの人と喋ってると「いい国だ」と。「自民党、公明党がやってるからと思ってるけど、違うんだ。この国の形は憲法で成り立ってるんだよ」ということを今度言おうと思ってるんですけど。要するに相手が何を分かってないかということを捕まえながらやっていかなきゃいけないんだなと。

それと今沖縄では、島ぐるみにならないと闘っていかれないので、若い人の声に耳を傾ける対話が始まったんです。憎むより愛し合おうとか、若い人たちが言ってくるのはそういう言葉なんですよ。若い人たちが提案したものを、今度は入れようというふうになっています。だから、市民運動だけで全部が解決することではないけれども、手をつなげる団体もいっぱいあるから、それを意識的につないでいくのもひとつの方法かなと思います。

久野　リコール運動、落選運動のとき、ずいぶんあちこち、岡崎だとか豊橋とか、名古屋市内もあちこち回ってチラシを撒いたり、夕方暗くなるまでやったりしましたね。あれはやっぱり高橋さんの熱気に煽られて、すごかったたな。

谷口　今思うのは、日本社会が戦争準備に向かっているという中での「表現の不自由展」だったと思うんです。戦争準備の一つとして表現を自由にする雰囲気を壊し、妨害して国主導の意見を通し、自由な意見を抑えていく。そういう流れの中で「表現の不自由展」も抑えられてきたんだと思うんです。

それで、やっぱりあきらめないということと、自分たちでできるところをやっていくということ。自分としては今まで分からないことを分かったような顔してきたところがあるんですけど、分からないところを曖昧にせずに、ひとつひとつ問題を自分で理解して、それに対する自分の意見を考えていく。自分の言葉で理解するという作業を自分自身がやっていかなきゃいけないなということを思います。

司会　本日は、長時間のお話、お疲れさまでした。「つなげる会」という名前で同じ目標に向かって一緒に取り組んできたこの3年間でしたが、それでも、その瞬間瞬間の出来事に対する見方、気持ちなどはいろんな受け止め方があることを改めて感じました。この多様な思いや意見の中でも、私たちが一つの目標に向かって協力してきたように、私たちの社会も多様な意見や生き方を認めあい、より豊かな社会になれたらと思います。今日はありがとうございました。

「表現の不自由展・その後」あいちの活動記録

▼印は、２０１９年８月から10月までは「表現の不自由展・その後」の再開をもとめる愛知県民」の活動。それ以降は「表現の不自由展その後をつなげる愛知の会」の活動。

年	月・日	主な記録
２０１２	５	東京新宿ニコンサロン・安世鴻・元「慰安婦」写真展中止事件　内外の話題に
２０１５	１	各地で展示中止に遭った作品を集め「表現の不自由展 ― 消されたものたち」と名付け　東京で開催
２０１９	８・１	国際芸術祭「あいちトリエンナーレ２０１９」開幕（会期1日～10月14日）主会場＝愛知芸術文化センター
	８・２	企画展「表現の不自由展・その後」展示の「平和の少女像」河村たかし名古屋市長が撤去要請発言　脅迫殺到 撤去要請に「国の補助金交付　精査して対応」と菅義偉官房長官
	８・４	国際芸術祭「あいちトリエンナーレ２０１９」での「表現の不自由展・その後」展示中止（4日～10月7日） ▼展示再開を求め市民が参集→「『表現の不自由展・その後』の再開をもとめる愛知県民の会」発足。再開を求め会場前で毎日スタンディング開始（4日～10月14日） 河村市長発言は憲法違反の疑い濃厚と大村愛知県知事
	８・６	「ガソリン携行缶もってお邪魔する」脅迫被害届、愛知県が愛知県警に提出
	８・７	▼大村秀章国際芸術祭会長、津田大介芸術監督に再開要請　河村市長に中止抗議
	８・14	▼「『表現の不自由展・その後』再開を求める愛知県民集会」会場、愛知芸術センター前

8・15	▼河村市長へ抗議声明　41団体
8・16	美術家井口大介氏、再開求める署名２６６５筆愛知県に提出　外部有識者による愛知県の検証委員会設置　初会合
8・24	▼「『表現の不自由展・その後』の再開をもとめる8・24 集会&デモ in 名古屋」
8・30	学者・弁護士による「表現の自由を守る市民の会」再開求める署名1万１３８筆愛知県に提出
9	▼大村国際芸術祭会長、津田芸術監督へ再開を求める「はがき」作成 河村市長へ暴言撤回要求の「はがき」作成
9・9	▼再開求め国内外182団体の共同要請書、質問状大村知事へ提出
9・13	不自由展実行委、展示再開求める仮処分、名古屋地裁に申し立てる
9・15	「『壁を橋に』プロジェクト　今こそ集会」　東別院会館　不自由展実行委主催
9・21	表現の自由に関する国内フォーラム、作家、市民ら討論　展示会場で
9・22	▼「今すぐ見たぁい『表現の不自由展・その後』の再開をもとめる全国集会 in なごや」 デモ：栄～大須３００人
9・26	国の補助金約７８００万円全額不交付と発表　萩生田文科相
9・27	展示再開要求　世界各国のアーティストと学者・文化人・市民が「人権なくして芸術なし」と声明　１０８人
9・30	名古屋地裁　仮処分審尋　再開へ合意　和解
10・1	「真実を鳴らす音・詩画展」（1日～6日）重重プロジェクト主催　市民ギャラリー矢田
10・4	キム・ソギョン氏　キム・ウンソン氏トークイベント　展示会場サナトリウム
10・5	▼「撤回させよう！　萩生田文相による補助金不交付決定10・5愛知集会」
10・8	「表現の不自由展・その後」66日ぶりに展示再開
10・9	▼再開反対発言の河村市長に謝罪要求書提出　見る権利制限撤廃申し入れ大村知事へ提出

	10・14	国際芸術祭「あいちトリエンナーレ2019」閉幕 入場者67万人
	10・29	▼再開を求める市民スタンディング最終日 ▼日本第一党など実行委員会主催の「あいちトリカエナハーレ2019」の展示はヘイト展示 愛知県施設利用 中止抗議
	11・2	▼「みんなで語ろう不自由展・総括集会」 ウイルあいち 「表現の不自由展・その後」の中止と再開を！「『表現の不自由展・その後』の再開をもとめる愛知県民の会」から、「『表現の不自由展・その後』をつなげる愛知の会」へ改称
	11・11	河村市長へ謝罪要求書提出と中止経緯の公開請求 市役所 12月21日＝「北海道・表現の自由と不自由展」開催
2020	1・11	再開要求街頭行動
	1・13	▼「小さな『平和の少女像』と『慰安婦』問題を語ろう！キャンドル行動 韓国併合100年東海行動 つなげる会共催
	2・1	表現の自由を考える講演 愛敬浩二氏ら 愛知県弁護士会主催
	3・18	▼河村市長へ「不自由展攻撃を許さない」公開質問状提出 430人が賛同
	3・23	国の補助金交付1100万円減額 約6700万円交付へ 文化庁異例の変更
	3・27	名古屋市の未払い負担金3400万円支払わないと河村市長明言
	4・20	▼名古屋市負担金交付要求書 河村市長へ提出
	4・23	▼国の補助金減額交付に対し、全額交付の要求書を萩生田文科相に提出
	5・21	負担金3400万円の未払いの名古屋市をあいちトリエンナーレ実行委員会が提訴 名古屋地裁
	6・2	美容整形外科医・高須克弥氏ら大村知事リコールへ政治団体設立 河村市長支援表明
	6・8	▼大村知事へのリコール運動反対声明 ▼リコール反対よびかけビラ配布

6・13	▼大村知事へのリコール運動反対街頭集会
6・29	▼大村知事への不信任請願を否決するよう議長と県議団に要請
7・2	高須氏議会運営委員会で陳述　愛知県議会傍聴　つなげる会6人
7・6	▼愛知県本会議傍聴　請願不採決。　リコール反対記者会見。
7・11	▼リコール反対街頭行動　名古屋・栄、豊橋
7・31	高須氏らリコール活動開始の手続きを愛知県選管に提出
8	▼「大村知事リコール署名運動にご注意ください」のチラシ作成　県内各地に配布
8・1	▼「『表現の不自由展・その後』を理由とした大村知事へのリコール反対市民集会」　栄
8・8	▼リコール反対　街頭県内一斉アクション
8・25	高須氏ら　大村知事リコール署名開始 ▼河村市長へリコール運動中止と名古屋市負担金支払い要求申し入れ書提出
9・6	▼「止めよう！大村知事リコール運動市民大集会&デモ」
9・8	「リコール反対チラシを地域で配布しようキャンペーン」開始。
9・12	▼リコール反対街頭行動
9・21	▼「私たちは『表現の不自由展・その後』を理由とした大村知事へのリコール活動反対！の世論形成を進める」声明 リコール反対署名とリコール反対チラシの地域配布、街頭宣伝の呼びかけ開始
9・23	日本第一党主催のトリカエナハーレの名古屋市施設利用許可に対し、名古屋市に抗議文提出
9・25	▼リコール反対行動　愛知県庁記者会見
9・26、27	日本第一党主催の「あいちトリカエナハーレ2020」の差別展示に抗議し街頭宣伝
10・2	高須氏と市議3人が芸術祭混乱巡り損害賠償請求愛知県提訴
10・4、6	大村知事リコール署名43万筆分　愛知県選管へ提出

	10・5	少女像撤去要請　名古屋市書簡をドイツベルリン市ミッテ区長に送付
	10・8	ドイツベルリン市ミッテ区の少女像設置許可取り消し
	10・10	▼リコール反対街頭行動
	10・13	ドイツベルリン市ミッテ区少女像一転設置容認へ　河村市長提出の大村知事辞職勧告決議愛知県議会不採択
	10・1	7現在　▼リコール反対の署名団体55、個人署名7021筆
	10・16、17	▼リコール反対街頭行動　中区　西区など地域にチラシ配布
	10・18	▼「やっぱりおかしい！大村知事へのリコール10・18市民集会」
	10・24、25	▼リコール反対・名古屋市負担金支払い要求街頭行動　各地域にチラシ配布
	11・1	▼リコール反対街頭行動　岡崎
	11・3	▼ドイツベルリン市ミッテ区少女像撤去要請しないよう名古屋市長へ要求書提出
	11・5	少女像撤去要請書簡　河村市長ミッテ区長へ送付　▼河村市長に抗議街頭行動
	11・6	▼少女像撤去要請名古屋市に抗議　市議会各会派へ申入れと記者会見。リコール署名数43万5231筆　愛知県選管が公表
	11・16	河村市長が大村知事に「リコール運動について」公開質問状
	11・19	▼日本政府・名古屋市長による少女像撤去要請に、「私たちは反対している」とミッテ区長に書簡送付
	12・4	リコール署名活動を推進した請求代表者らが不正告発の記者会見。21日＝リコール署名不正疑い　全数調査へ　愛知県選管
2021	1・12	リコール署名8割以上に不正　愛知県選管発表
	2・1	リコール署名43万5000筆のうち83％が無効　不正　愛知県選管発表
	2・15	リコール署名不正　愛知県選管調査結果　愛知県選管　県警に地方自治法違反で刑事告発し受理

	署名数43万5334筆　このうち無効83・2%　無効の内同一人物筆跡約90%　選挙人名簿に無登録人の署名約48%。選挙人名簿に無登録受任者が集めた署名約24%　リコール署名、故人8000筆　指印重複10万8000筆　名簿から署名書き写し3000筆　佐賀でバイトを動員して偽造。高須、河村両氏関与否定
2・18	▾河村市長にリコール偽造の責任を求める要請書提出　名古屋市本会議傍聴　偽造抗議街頭行動
2・20	▾河村市長リコール偽造責任取れ　街頭行動
2・23	▾河村市長リコール偽造責任取れ　街頭行動
2・24	リコール署名偽造強制捜査　県警　全署名押収
2・27	▾河村市長リコール偽造責任取れ　街頭行動
3・4	▾河村市長お辞めください「はがき」作成　配布　街頭行動
3・7	「リコール不正許せない！　3・7市民集会」とデモ
3・13	▾お辞めください河村市長街頭行動 河村氏10年前の名簿3〜4万人分提供が判明
3・19	▾市長引退賛同署名3万1880筆　河村市長受領拒否　記者会見
3・20	▾お辞めください河村市長街頭行動
3・27	▾お辞めください河村市長街頭行動
3・30	リコール団体収支報告県選管に提出　収入6121万円　支出5705万円　偽造バイトに支出なし？
4・3	▾リコール署名偽造河村NO！街頭行動
4・10	▾選挙で示そう河村NO！市民集会とデモ
4	▾河村落選街頭行動。4月11、13、15、17、18、19、20、22、24日　市内各地でチラシ配布とマイクで街宣

4・15	田中孝博氏が指印偽造指示　受任者に署名簿100枚代筆指示が判明
4・2	名古屋市長選挙　河村たかし氏4期目当選
4・26	▼河村市長偽造責任取れ！街頭行動　抗議書　名古屋市受領拒否
5・18	▼私たちの「表現の不自由展・その後」7月に再展示発表
5・19	リコール不正、田中孝博容疑者ら4人逮捕　署名偽造主導　河村市長関与否定
6・8	リコール署名偽造　田中容疑者ら4人再逮捕
6・25	「表現の不自由展かんさい」（大阪）の会場を大阪府が使用取り消し
6・2	▼名古屋の不自由展成功要請書　河村市長へ提出 リコール署名偽造田中容疑者ら起訴
7・3	▼プレ企画「7・3　成功させよう！　私たちの『表現の不自由展・その後』展　市民集会」　講師志田陽子さん（憲法学者）　東別院ホール
7・6	▼私たちの「表現の不自由展・その後」　名古屋市市民ギャラリー栄で開幕（会期6日～11日）
7・8	爆竹入り郵便物届き退去命令　そのまま休館・会場閉鎖　展示中止　消えた4日間名古屋市に閉鎖抗議、再開要求
7・9	▼早期再開求め抗議・要望書を河村市長に提出。 ▼閉鎖抗議・再開要求街頭行動とデモ　7月9、10、11、12日　市役所前・栄
7・10	▼愛知県警中署に情報開示と再開協力要請
7・16	最高裁　大阪会場利用認める決定　「表現の不自由展かんさい」開催
7・18	▼「卑劣な脅迫許さない！　名古屋市の展示中止に抗議し、再開を求める7・18市民大街頭行動」ジャーナリストの金平茂紀氏ら参加
9・6	▼中止抗議・再開要求街頭行動　再開申し入れ書提出　記者会見。 ▼「私たちの表現の不自由展・その後」のボランティア感想会・経過報告 イーブルなごや
9・15	元常滑市議ら3人リコール署名偽造書類送検

	9・21	不自由展の会場に展示抗議で無断侵入した女性が書類送検
	9・24	リコール署名偽造事件　田中孝博被告初公判　名古屋地裁
	10	▼「リコール署名不正と表現の不自由展『民主主義社会の危機を問う』」出版　あけび書房
	10・14	不自由展天皇侮辱に精神的苦痛と女性が愛知県を大阪地裁に提訴
	10・19	▼再開へ向け関係団体（名古屋市文化振興室、文化振興事業団、警察、弁護団、つなげる会など）と協議 開始。22年8月の8回まで開く
２０２２	1・12	リコール署名偽造広告会社元社長執行猶予判決　名古屋地裁
	4・2〜5	「表現の不自由展　東京２０２２」開催
	5・25	あいちトリエンナーレ２０１９　名古屋市未払い負担金支払い命令裁判　名古屋市敗訴　名古屋地裁
	5・30	未払い負担金敗訴の名古屋市控訴　名古屋高裁
	7・7	名古屋市控訴取り下げを求め　市監査委員へ住民監査請求　「河村たかし名古屋市長による芸術作品の政治利用を許さない市民の会」
	7・16	▼プレ企画　高校演劇「明日のハナコ」上演　イーブルなごや
	7・30	国際芸術祭「あいち２０２２」愛知県で開幕　あいちトリエンナーレから改称
	8・6〜7	「表現の不自由展・京都」開催
	8・25〜28	▼私たちの「表現の不自由展・その後」　名古屋市市民ギャラリー栄で開幕
	8・2	名古屋市役所、河村市長事務所などに不審郵便物届く
	9・9〜10	「表現の不自由展ＫＯＢＥ」開催
	12・2	あいちトリエンナーレ２０１９名古屋市未払い負担金　2審も名古屋市敗訴　名古屋高裁
	12・16	あいちトリエンナーレ２０１９名古屋市未払い負担金訴訟上告
２０２３	1・13	名古屋市未払い負担金と損害遅延金（月14万円）計３９２７万円「あいちトリエンナーレ２０１９」実行委員会へ支払う 最高裁判上告中

おわりに

2019年から2022年の「私たちの『表現の不自由展・その後』」までの出来事は、昨日のことのようにもはるか昔のことのようにも感じます。それは、問われていた課題のひとつが歴史改ざん主義との闘いであり、その闘いは継続中でありながら、私たちの社会や日常においては、現れ方に濃淡があるせいなのかもしれません。それでも振り返るとさまざまな感情が想起されます。2019年の再開をもとめる運動の際には、中止であることに強い憤りを感じながら、毎日祈るような気持ちで再開を願っていました。中止を招いたあらゆる現象があまりにも理不尽に感じたし、極端な話をすれば、日本社会の暗部が噴出したように感じたからです。この感情は2020年の「表現の不自由展・その後」を理由とした大村愛知県知事へのリコール運動の際にもふたたび感じました。

一方、もうひとつの課題であった「表現の自由」は「表現の不自由展かんさい」の施設利用をめぐる最高裁判例もあり、より保障されるべき権利として定着したと思います。運動がもたらした本当に貴重な成果だと思います。

この間の取り組みは、多くの市民が協力・参加することで実現したことは言うまでもないと思います。街頭宣伝、集会、デモ、展覧会のボランティア、クラウドファンディング、展覧会への参加、多くの市民の「観たい」という気持ちが再開も、市民による展覧会も実現させたのです。しかし、課題は解決されたでしょうか？

旧日本軍性奴隷制度問題についての事実と当事者の訴えは尊重されているでしょうか？天皇についての自由

要な表現は尊重されているでしょうか？

私たちの会は解散しますが、課題は残されたままです。今後は自覚的な市民による粘り強い取り組みが必要だと思います。この本が、その取り組みに少しでも役立てれば幸いです。

最後に、展示会のために作品を出品してくださった作家の皆さん、展示会に向けて協力してくださった東京、関西、京都、神戸の皆さん、弁護団の皆さん、出版に際して執筆してくださった皆さんに感謝の言葉を申し上げます。そして、2019年の中止事件から展覧会まで、さまざまな形で共に活動し、支援してくださった市民の皆さんにこころからお礼を申し上げます。

高橋良平

執筆者一覧

表現の不自由展その後をつなげる愛知の会
　久野綾子（共同代表）
　磯貝治良（共同代表）
　長峯信彦（共同代表）
　中谷雄二（共同代表弁護団）
　李斗煕
　神戸郁夫
　金広美
　キムヨンア
　具志堅邦子
　近田美保子
　高橋良平
　山本みはぎ

「表現の不自由展その後」をつなげる愛知の会　弁護団
　久野由詠
　熊本拓矢

参加者
　金城美幸
　崔蓮華

作家
　キムソギョン
　キムウンソン
　安世鴻
　大浦信行

各地実行委員会
　岡本有佳（表現の不自由展東京実行委員会）
　北野ゆり（表現の不自由展 KYOTO2022 実行委員会）
　平井美津子（表現の不自由展かんさい実行委員会）

田巻紘子（住民監査担当弁護士）
志田陽子武蔵野美術大学教授　法学（憲法、芸術関連法）

私たちの表現の不自由展・その後
表現の自由を守り歴史修正主義と闘った市民たちの３年間

2024年6月12日　第1刷発行　　（定価はカバーに表示してあります）

編　者　表現の不自由展その後をつなげる愛知の会

発行者　山口　章

発行所　名古屋市中区大須 1-16-29
振替 00880-5-5616 電話 052-218-7808
http://www.fubaisha.com/
風媒社

＊印刷・製本／モリモト印刷
乱丁本・落丁本はお取り替えいたします。
ISBN978-4-8331-1158-4